COLOFON

De *Gids voor het Einde der Tijden* is een
aanvulling op de theatervoorstelling "2012"
van De Ploeg.
Zie ook: www.deploeg2012.nl

TEKST: Genio de Groot, Peter Heerschop,
Han Römer, Titus Tiel Groenestege, Viggo Waas

EINDREDACTIE: Eva Posthuma de Boer,
Erik Klap

PRODUCTIE: Heleen Rol

VORMGEVING: Studio FC Klap
(Wilfred van Wieren, Renske van Ravels,
Martijn Menninga)

ILLUSTRATIES: Titus Tiel Groenestege

EERSTE DRUK: Februari 2012

DRUK- EN BINDWERK: PRinterface, Leiderdorp

EAN: 9789085670667

UITGEVERIJ: FC Klap

Inhoud

De Ploeg 2012

De Maya's voorspelden dat de wereld op 21 december 2012 zal vergaan. Hierbij zal een kleine 'ploeg' overleven. Die Ploeg, dat zijn wij.

Wij willen ons gedachtegoed, onze visie, onze eigen kijk, graag met u delen. Daartoe organiseren we bijeenkomsten in het hele land. Waar en wanneer u die kunt bijwonen, staat in een handig overzicht achterin dit boek.
Ook kunt u lid worden van De Ploeg.

U gaat dan bij het selecte gezelschap behoren dat het Einde van de Wereld zal overleven. Hiertoe kunt u zich aanmelden via onze website www.deploeg2012.nl.

Nu vraagt u zich wellicht af: wat is dit eigenlijk voor boek?
Dit boek is een handboek (vandaar ook het handzame formaat).
Een leidraad.
Een gids.
Een richtsnoer.
Een model.
Een leermiddel.
Een wegwijzer.
Voor leden én niet-leden van De Ploeg biedt dit boek hulp om het laatste jaar waarin de aarde in zijn huidige vorm bestaat, door te komen.

Statuten

De Ploeg is een vereniging die zich komend jaar bezighoudt met het Einde van de Wereld op 21 december 2012. Die datum is ooit berekend door de Maya's en De Ploeg ziet geen enkele reden om daaraan te twijfelen.

DE PLOEG STELT ZICH DE KOMENDE TAKEN:

1. Het verzamelen en verspreiden van kennis omtrent het Einde van de Wereld;
2. Het schetsen van mogelijke gevolgen dit jaar op het gebied van liefdevolle relaties, vriendschappen en ook: hoe ga je met elkaar om? Op straat en op je werk;
3. Het schetsen van maatschappelijke gevolgen in de breedste zin van het woord;
4. Het aanreiken van de juiste instrumenten en het aanleren van handelswijzen om de Grote Dreiging te kunnen weerstaan;
5. Het bieden van een mogelijkheid om samen te komen met gelijkgestemden.

De bedoeling is dat de Leden van De Ploeg op de hoogte zijn van wat hen staat te wachten in 2012 en weten hoe ze zich daar optimaal op kunnen voorbereiden. De kans is groot dat alleen Leden van De Ploeg voldoende zijn voorbereid op De Laatste Dag. Voor hen zal het dan ook niet De Laatste Dag zijn.
Iedereen kan Lid worden van De Ploeg. Dat doe je door je aan te melden. Let op: het maximum aantal leden telt 60.000.
Leden van De Ploeg mogen zich Lid van De Ploeg noemen. De voorzitter van het bestuur hecht eraan uitdrukkelijk te vermelden dat het niet de bedoeling is een soort sekte te vormen. Als dat toch gebeurt, is het wat hem betreft ook prima.

De Ploeg komt dit jaar 70 keer samen in diverse schouwburgen verspreid over het land, waarbij iedere provincie wordt aangedaan.
De Laatste Bijeenkomst is op de avond van 20 december 2012, waarbij het Einde der Tijden zal worden ingeluid met een grootse feestavond: wereldwijd vuurwerk niet uitgesloten.

Als Lid van De Ploeg zullen zich waarschijnlijk aanmelden:
Najib Amhali, Jochem Meijer, Edwin Evers, Katja Römer-Schuurman, mevrouw Heerschop, Jeroen van

Koningsbrugge, Paul van Vliet, Ali B., Wende Snijders, Erik van Muiswinkel, Frank Lammers, het volledig Nederlands Team, Dennis van der Geest, Linda de Mol, Kasper van Kooten, Schudden, Lebbis, Koos Terpstra, Eric van Sauers, Bert Visscher en niet vergeten Gerard te bellen.

CHARLES DARWIN:
"I am not the least afraid to die."

MARIE ANTOINETTE:
"Het spijt me meneer, ik deed het niet expres."
Toen ze bij de guillotine verscheen, veroordeeld voor landverraad, op het punt om te worden onthoofd en per ongeluk op de voet van de beul ging staan.

JOE DIMAGGIO:
"I'll finally get to see Marilyn."
Over zijn voormalige echtgenote.

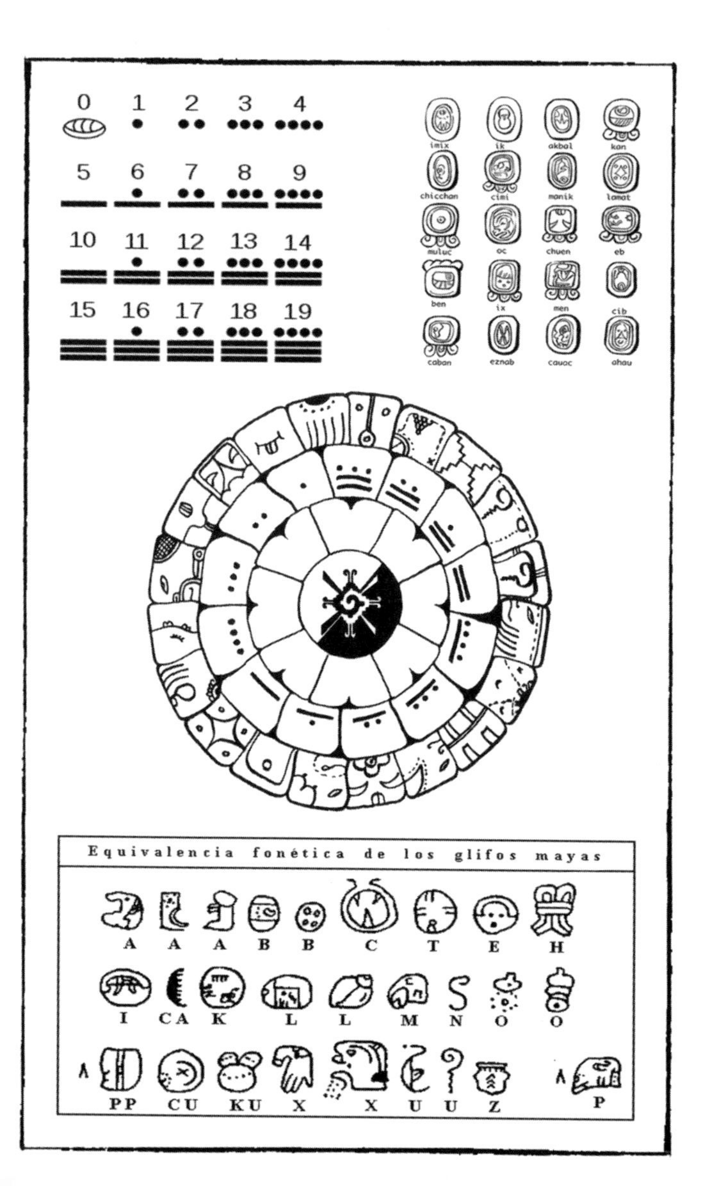

0 1 2 3 4
5 6 7 8 9
10 11 12 13 14
15 16 17 18 19
imix ik akbal kan
chicchan cimi manik lamat
muluc oc chuen eb
ben ix men cib
caban eznab cauac ahau
Equivalencia fonética de los glifos mayas
A A A B B C T E H
I CA K L L M N O O
PP CU KU X X U U Z P

De Apocalyps volgens de Maya's

Volgens de voorspellingen van de Maya's houdt de wereld zoals wij die kennen na 21 december 2012 op te bestaan. Vaak zeggen mensen dan meteen: "Ja, dat zal wel, maar wat is er eigenlijk ooit van die Maya's terechtgekomen?"

Nou, dat is snel verteld. Die zijn verdwenen. Hun beschaving is rond 900 na Christus door onverklaarde oorzaken ingestort. Dat hadden ze helaas zelf niet voorzien.
Waarschijnlijk lag dat te dichtbij. En iedereen weet, als je ergens te dicht op zit, zie je de dingen niet helder. Met je neus op een olifant lijkt het beest slechts een grijze muur.

De Maya's konden overigens wel heel goed in de verte kijken. Dat is natuurlijk ook een bekend indianendingetje. In films staan ze ook vaak bovenop een rots in de verte te turen. De Maya's wisten dan ook zeker dat de aarde 1100 jaar later zou ophouden te bestaan. Ze konden nu eenmaal ook heel goed 'voorspellen-op-afstand.'

DE MAYA-KALENDER
Wat we de Maya's vooral moeten nageven, is hun fantastische kalender.

De lange telling van de Maya's begint in augustus 3114 voor Christus.
Wat was er dan zo belangrijk aan die datum? Niets.

Want die kalender is pas 2000 jaar geleden uitgevonden. De Maya's zijn niet begonnen met het begin, het ging hen om de einddatum. Ze hebben teruggerekend. Daartoe hadden ze de volgende eenheden van tijd:

Een dag is een kin.
20 kin is een uinal.
18 uinals is een tun,
een tun is dus 360 dagen.
20 tuns is een katun.
20 katuns is een baktun en
dat is dus 7200 dagen.
Een cyclus duurt 13 baktuns en dat is precies 5126 jaar. Dus om in 2012 te eindigen, moet je in 5126 beginnen met aftellen. 5126 min 2012 is 3114. En zo klopt alles.

MAAR WAAROM?
Wat is er zo belangrijk aan die einddatum? Een korte uitleg voor hen die het echt willen weten. Dat heeft alles te maken met de precessie van de equinoxen (uit je hoofd leren, roepen op een feestje, weglopen en weer wat inschenken). De aarde draait om de zon, vandaar de seizoenen. Maar de aarde draait ook om haar eigen as, vandaar dag en nacht. Maar die as draait ook, wat

de aarde tot een soort tol maakt. Zie je het voor je? Dat heet nou precessie. Die 'tol' doet er ongeveer 26000 jaar over om een hele omwenteling te maken. Door al die draaiingen verandert de achtergrond van de hemel zoals wij die vanaf de aarde zien. Zo was 5000 jaar geleden niet Polaris de poolster maar Alfa Draconis, en zal 11000 jaar na Christus Vega de poolster zijn. Omdat de aardas zich verplaatst.

Opzienbarend is niet zozeer de uitvinding van de kalender, want dat kan elke in zichzelf gekeerde indiaan, kauwend op een geestverruimend kruidenmengsel, op een achternamiddag bedenken. Het opzienbarende is de ontdekking van de precessie. Want hoe ontdek je zonder geavanceerde technieken dat de achtergrond van de hemel in 72 jaar (namelijk 26000 gedeeld door 360) één graad verschuift?
Hoe kan dat? Wie valt dat nou op?
In elk geval is er anno 2012 sprake van een unieke samenstand van de aarde ten opzichte van zowel de Melkweg, als het galactisch centrum (ook wel de Donkere Kloof genoemd), als de ecliptica.
De ecliptica is het vlak waarin de zon en de planeten zich bewegen. Dat vlak kruist dan de Melkweg. En zoiets komt echt niet vaak voor.

WAT ZIJN DE GEVOLGEN?
Die zijn over het algemeen ronduit vervelend. Stormen, oorlogen, vulkaanuitbarstingen, vloedgolven en hongersnood zijn in aantocht. Miljarden mensen zullen sterven. En dat is het gunstige scenario.
In het slechtste geval blijven er misschien een paar honderd miljoen mensen over. In het allerslechtste geval alleen een kleine Ploeg.
Want, zo wordt het geschetst in de geschriften van de Maya's: slechts een kleine Ploeg zal de catastrofe overleven en opnieuw beginnen.
Hear, hear!

Als u verstandig bent, sluit u zich dus vandaag nog aan bij De Ploeg.

www.deploeg2012.nl

Handleiding: tips voor noodsituaties

Onmiddellijk na het Einde kunnen groepjes mensen geïsoleerd raken zonder middelen van bestaan. In dat geval moeten zij de eerste dagen overleven, totdat de nieuwe wereld door het bestuur van De Ploeg georganiseerd is. Daarom vast een aantal handige tips om de eerste dagen na de Apocalyps door te komen.

1. Vuur maken
2. Water zuiveren
3. Een batterij maken
4. De tijd bepalen
5. Een kompas maken
6. Een kat villen

Zorg ervoor altijd een noodpakket in huis te hebben met in elk geval:

VUURPIJLEN

Voor het geval het allemaal meevalt en er toch nog een jaarwisseling komt. Dan wil je die natuurlijk vieren met vuurwerk.

LUCIFERS

Mocht je een vuurpijl willen afsteken. De achterkant bijpunten met een scherp mes en je hebt een prima tandenstoker.

EEN SCHERP MES

Voor het geval je dreigt te stikken door een per ongeluk ingeslikte tandenstoker of een graat in de keel, dan moet je met dat mes snel via de hals een opening snijden in de luchtpijp.

EEN T-SHIRT

Om het bloed te stelpen als je uitschiet met je mes. Scheur de stof dan snel in repen. NB: Gooi de graat niet weg. Kan worden gebruikt als naald om de halswond mee te hechten of een paar wanten te naaien van kattenbont.

JUTEZAK

Deze komt van pas indien je na de ramp zit opgescheept met de laatste vrouw op aarde, en het blijkt een oerlelijke te zijn. Over rampen gesproken. Maar dan heb je dus een jutezak voor over haar hoofd.

CONDOOM

Voor het geval dat je geen kinderen wilt van dat monster, maar vooral geschikt als waterzak. Kan 1 liter bevatten.

En verder wat kleingeld, een rolletje echte Werthers en een puzzelboekje.

Tip: *Leer morse. Daar werd je vroeger voor gestraft, maar kan onder deze omstandigheden uw leven redden om onder het puin gevonden te worden.*

EN DAN NU:

1. VUUR MAKEN

Je pakt een houtje (droog), en maakt er met je mes een gat in. Niet al te groot. Pak een stokje van zo´n 30 centimeter dat net in dat gaatje past. Stop in dat gaatje droge bladeren – het gat moet dus redelijk diep zijn – en begin hard om dat stokje te draaien. Niet opgeven. Het lukt.
Zo maak je een eigen vuurtje. Lukt het niet, neem dan een lucifer en strijk die met een krachtige beweging langs het donkerpaarse zijkantje van een lucifersdoosje. Na het branden de houtskool verzamelen. (zie: *water zuiveren en norit*)

2. WATER ZUIVEREN

Je staat in de woestijn. Bij een oase. De enige waterbron in de wijde omtrek ligt aan je voeten. Bruin en modderig. Niet echt drinkbaar dus. Nóg niet. Je hebt uiteraard een bak of fles voor vuil water mee en een fles voor schoon water. Haal je T-shirt tevoorschijn en zeef daarmee het meeste zand en troep uit het water.

KOOK HET WATER

Het gezeefde water is natuurlijk nog steeds vervuild met miljarden microorganismen. Deze kunnen ziekten veroorzaken. De belangrijkste zijn bacteriën, virussen en protozoa, bijvoorbeeld amoeben en parasieten. Verder kunnen er giftige chemische verbindingen in het water zitten, zoals zware metalen of landbouw-

chemicaliën. Tenslotte kan er (te) veel zout in het water zitten, zoals bij zeewater.
Wat kun je aan al deze ongemakken doen? Om te beginnen kun je

het water koken. De meeste bacteriën gaan snel dood boven de 70°C. Het water even aan de kook brengen, is voor niet al te vervuild water dus prima geschikt. Sommige ziekteverwekkers zijn echter resistent tegen hoge temperaturen. Daarom wordt vaak aanbevolen het water enkele minuten door te koken.

NORIT

Als je denkt dat het water na het koken wel bacterievrij is, maar nog chemicaliën bevat, kun je dit met koolstof (norit) verwijderen. De meeste chemicaliën binden namelijk aan norit. Daarom werkt het ook als je per ongeluk gif hebt binnengekregen. In je maag bindt het gif dan aan norit. Norit is bij de apotheek verkrijgbaar. Mocht de apotheek gesloten zijn, dan is houtskool een goede vervanger. Goed kauwen.

3. EEN BATTERIJ MAKEN

Batterijen bestaan uit twee verschillende metalen in een zurig omhulsel. Het sap van een citroen is zuur genoeg om dezelfde chemische reactie op gang te brengen als bij een batterij. Wat hebben we nodig?

Een citroen, liefst goed sappig en nog een beetje onrijp. We rollen hem op tafel of tussen beide handen om het zure sap te activeren.
Voor de metalen nemen we koper en zink. Voor het koper gebruiken we een koperen muntje, bijvoorbeeld van 1, 2 of 5 eurocent. Voor het zink een gegalvaniseerde spijker (gewone betonspijker, overal te vinden).
We steken het muntje en de spijker in de ongepelde citroen. Let erop dat het koper en het zink elkaar niet raken. Zowel aan het koper en aan het zink bevestigen we een elektriciteitsdraad, die we aan de andere kant verbinden met een lampje. Het is best mogelijk dat één citroenbatterij niet genoeg is om een lampje te laten branden. We kunnen dan verschillende citroenbatterijen in serie schakelen, koper aan koper, zink aan zink. Het is een beetje uitzoeken hoeveel citroenen je voor een goed resultaat nodig hebt. Vier citroenbatterijen produceren 3,5 volt;

genoeg voor een fietslampje. Voor je iPhone is zes kilo citroenen genoeg.
Tip: *Dorst is uw grootste vijand. Drink nooit urine. Smaakt naar lauwe pis. Bij gebrek aan water, zoek een verdroogde poel. Diep graven en vang de*

kikker die zich daar heeft ingegraven. Goed uitknijpen voor een flinke slok water. Voor het vullen van een condoom zijn 124 kikkers nodig.

4. DE TIJD BEPALEN

Kijk op je horloge. Grote kans dat de batterij leeg is. (zie: *batterij maken*) Mocht je horloge het niet meer doen, bedenk dan dat hij tweemaal per etmaal precies gelijk staat. Dat is vaker dan een horloge dat twee minuten voor loopt. Als de zon schijnt, is het dag, als je de maan ziet, is het nacht. En verder weet je wel hoe laat het is.

5. EEN KOMPAS MAKEN

Neem een kurk en snijd er met je scherpe mes een plakje af. Neem een

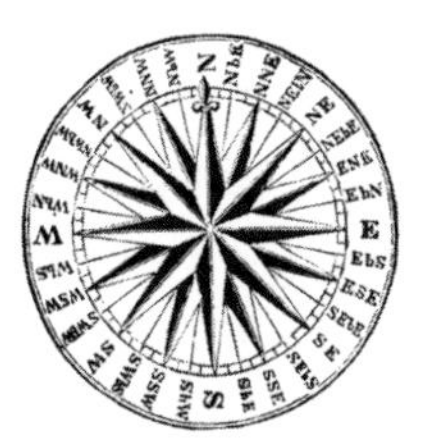

naald en steek die door het kurkplakje heen. Laat dit geval drijven in een bakje water en de naald zal langzaam naar het noorden draaien. Tenzij de ramp is veroorzaakt door een omdraaiing van de polen, dan wijst de naald naar het zuiden. De tegenovergestelde kant is in dat geval het noorden.

6. EEN KAT VILLEN

Waarschijnlijk kom je meer zwerfkatten tegen dan mensen. En waarschijnlijk heb je honger en waarschijnlijk heb je het koud. De zwerfkat is dan een geschenk. Vang de kat. (zie: *hoe vang ik een kat?*) Maak een incisie rond de hals van de kat en pak

het beestje bij de staart. Boven het hoofd rondslingeren en de kat vliegt uit zijn bontje. De gevilde kat roosteren boven een vuurtje. (zie: *vuur maken*) Kattenvacht of poezenvel kan met naald en draad eenvoudig worden omgetoverd in een paar warme wanten.

(ADVERTENTIE)
dakloos?
loop eens binnen
bij
Het Campingparadijs
u vindt er vast iets
van uw gading!

HOE VANG IK EEN KAT?

Lok de kat met een muis (zie: *hoe vang ik een muis?*) en geef hem een klap met een knuppel. (zie: *hoe maak ik een knuppel?*)

HOE VANG IK EEN MUIS?

Leg een blokje kaas neer (zie: *hoe maak ik kaas?*) en geef de knabbelende muis een klap met een knuppel. (zie: *hoe maak ik een knuppel?*)

HOE MAAK IK KAAS?

Melk een geit. (zie: *hoe vang ik een geit?*) Neem een liter melk en dan heel lang heel goed roeren, bijvoorbeeld met een stok of een knuppel. (zie: *hoe maak ik een knuppel?*) Laten stollen en op een plank leggen. Twee keer per jaar keren.

HOE VANG IK EEN GEIT?

De snelste manier om een geit te vangen is er een hond achteraan te laten jagen. (zie: *hoe vang ik een hond?*) Als de hond de geit in uw richting heeft gejaagd, geef het beest dan een klap met een knuppel.

(zie: *hoe maak ik een knuppel?*) Een bewusteloze geit melkt ook makkelijker.

HOE VANG IK EEN HOND?

Een hond vangt men met een kat. (zie: *hoe vang ik een kat?*) Hou een kat aan het lijntje en de hond stuift erop af. Als het beest in de buurt is, geef het dan een klap met de knuppel. (zie: *hoe maak ik een knuppel?*)

HOE MAAK IK EEN KNUPPEL?

Een goede knuppel is onontbeerlijk om te overleven. Neem een flink stuk hout of een dikke tak en u hebt een knuppel. Niets meer aan doen.

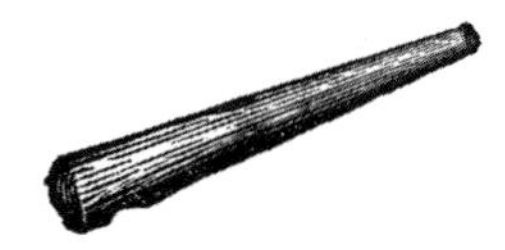

Ereleden

Met gepaste trots stellen wij de vijf ereleden van De Ploeg aan u voor. Het betreft de voltallige familie Van der Ploeg, bestaande uit Pap van der Ploeg, zijn vrouw Map, twee zonen Broer en Berrie en hun huisbaas Nonkel. Zowel Pap, als Map, als Broer, als Berrie, als Nonkel laten in dit boek hun licht schijnen op het Einde van de Wereld.

Familie Van der Ploeg.
Toen nog met Buck.

PAP:

"Ik ben niet zomaar niemand. Ik ben Pap van de Ploeg. Ik rook pijp, dus ik besta. En ik heb wel ergere dingen meegemaakt dan het einde van de wereld."

MAP:

"Voor mij waren Pap en de jongens altijd al het einde."

BERRIE:

"Ik ga nooit meer iemand tegenkomen die zo mooi en lief en perfect is als zij. Voor mij heeft het leven geen zin meer. Ik hoop dat de Maya's gelijk hebben."

BROER:

"Je moet voor het einde van de wereld niet denken over wat je nog zou willen doen. Het gaat er om met wie?"

NONKEL:

"De huisvesting van de familie is soms wel een opgave maar ik krijg er ook enorm veel voor terug."

Pap over het Einde (1)

Het Einde? Van de wereld?
Duizend jaar geleden voorspeld door indianen in Mexico?
Laat me niet lachen.
Hoe weten ze dat? Stond dat in een boek? In een dode Popocatpetl-rol?

Ik weet toevallig belachelijk veel van die Mayo´s af, en ze konden noch lezen, noch schrijven. Die gasten liepen op blote voeten over de verdroogde pampa´s. Ze sneden hun kinderen de keel door omdat het dan de volgende dag ging regenen.
Mooi niet. Kurkdroog.
Daarom zijn de Mayo's ook verdwenen. Geen regen en geen kinderen meer. Ja, dan houdt het op. Nou kunnen kinderen behoorlijk vervelend zijn, zeker als ze een beetje de inslag hebben van mijn oudste zoon. Kom, hoe heet 'ie ook alweer?
Map: Buck, Pap.
Juist! Buck. Dus als kinderen een Buck-achtige inslag hebben, en dat kan ik me heel goed voorstellen bij van die spleetoogjes – of hebben indianen geen spleetogen? Ze hebben in elk geval, net als Buck, geen borsthaar op hun rooie bast. Weer één van die weetjes die op de raarste momenten bij me opkomen.
Waar was ik? O ja, kinderen met een Buck-karakter, daar wil je vanaf natuurlijk. Die wil je heel graag laten verdwijnen. Maar om dan zo´n lullige smoes te verzinnen, dat het dan gaat regenen, is belachelijk.
Be-la-che-lijk!

Hoewel, toen ze Buck kwamen halen omdat hij werd teruggestuurd naar zijn eigen land waar hij 51 jaar geleden was geboren, regende het behoorlijk. Maar goed, hier regent het ook altijd.

Volgens de Mayo's zou alles vlak voor het eind van de wereld omdraaien. Als die theorie zou kloppen, dan zou hier het omgekeerde moeten gelden en had het kurkdroog moeten zijn. Of word ik nou gek? Als alles zou omdraaien, was Map opeens een lekker wijf. Ik zou zeggen: *did I make my point?* Ja hoor, die indianen met hun peniskokers en botjes door hun neus konden zogenaamd zien waar de sterren over duizend jaar staan. Dat gelooft toch geen hond? Goedkoop hoor. Heel erg goedkoop. Als je op het punt staat uit te sterven, zeggen dat de hele wereld ondergaat. Dat is gewoon een laffe truc, een afleidingsmanoeuvre. Typisch zo'n allochtoons lulverhaal. Komt allemaal daardoor. Waardoor? Dáárdoor.
Ik zie Map af en toe gluren naar zo'n Italiaanse schoorsteenveger of Turkse pizzabakker. "Zeg Pap, zou zo'n snor jou ook niet staan?" Nee Map, dat weet je heel goed, mij staat

een snor niet. En jou ook niet. Dus ga je scheren. Dat verval, daar gaan we aan kapot. Ik las trouwens laatst in mijn *Weetjesboek* hoe lang geleden de dinosaurussen zijn uitgestorven. Toen ging de wereld ook ten onder. Maar ondertussen kwam er wel ruimte voor de mens. Kijk, en dat missen we nu. Ruimte.
Overal zit iedereen hutje mutje op elkaar, lopen ze maar in en uit. Daarom is het juist wel weer eens tijd voor een ondergang. Komt er wat meer ruimte voor de gewone mensen. Voor mij, bijvoorbeeld. En voor Map en de drie jongens. Twee, bedoel ik. Buck zit toch al in Mongolië. Nou ja, hoe dan ook, ruimte komt er.
En zoals Map zou zeggen:
"De deur staat altijd open."

GOD & DE DUIVEL

Veel mensen zien natuurrampen als een straf van God. Zo beweerde de Amerikaanse tv-dominee Par Roberson na de aardbeving op Haïti dat de ramp een goddelijke straf was voor het pact dat de Haïtianen een paar eeuwen eerder met de duivel hadden gesloten om bevrijd te worden van de Franse overheersers. Met dank aan de duivel werden de Fransen inderdaad verslagen. Nu God zich heeft gewroken kan Haïti met een schone lei beginnen.

Berrie in Luxe Burg

Wij zijn op vakantie geweest naar Luxe Burg. Luxe burger meisjes zijn de mooiste meisjes van de wereld. Op de eerste avond op de camping was het al bingo. Een vrouw draaide balletjes, haalde nummertjes uit een kooi en las ze voor. Iedereen had een kaart, maar ik kon daarop niet vinden welk cijfer bij welk nummer hoorde. Mensen wilden wel helpen, maar dat wilde ik niet. Toen ik het nummer bij het cijfer had gevonden, was het volgende alweer opgenoemd en liep ik achter. Van kwaadheid kraste ik de hele kaart vol en riep iemand die met me meekeek: "Bingo!"

Toen kwamen ze controleren. Ze zeiden dat ik geen bingo had en ik werd gediskwaa... gekwisdali... gefrisdwali... mocht ik niet meer mee doen. Dat moet je niet tegen mij zeggen, want dan knapt er iets in mijn kop. Het is natuurlijk niet alleen maar een spelletje. Jammer dat ik veel bozer kan worden dan ik sterk ben. Ik wilde net als bij *Asterix en Obelix* iedereen uit zijn schoenen de lucht in slaan. Maar in dit geval speelde ik de Romein.

Gelukkig had de vrouw die de Bingokooi draaide een dochter. Toen iedereen op me zat, kwam zij naar me toe. Uiteindelijk zat ik met dat meisje in een tentje. Ik kon haar ruiken. Ze had een andere taal, dus kwam ze uit Luxe Burg, want daar praten ze Anderetaals. Ze was heel mooi.

Ik heb gewoon maar met haar gepraat, zoals ik tegen iedereen praat. Ze begon me te aaien, eerst over mijn haar, toen in mijn nek. Ik moest een beetje lachen. Eigenlijk kon ik niet meer denken, maar ik dacht nog wel dat het een rare avond was. We waren begonnen met een barbecue waardoor de caravan in de brand vloog omdat je nooit een fles spiritus in het vuur moet gooien. En nu zat ik in een tentje met een meisje. Ik deed iets bij haar terug wat ik in een film had gezien en dat hielp nogal. Mijn hoofd ging uit en mijn broek ontplofte en zij begon steeds harder te hijgen. Toen ben ik van puur geluk in slaap gevallen.

Ik was voor het eerst in mijn leven echt verliefd. Zo verliefd als boter.
Ik wilde met haar trouwen. En kinderen krijgen. En dat ik tegen haar zou schreeuwen zoals Pap tegen Map, en dat zij dan ook gewoon van mij zou blijven houden. Hierna werd ik wakker en lag zij niet meer in het tentje. De volgende dag waren er nog meer mooie meisjes uit Luxe Burg, maar ik zocht mijn eigen Luxe Burger meisje. Van de vrouw van de

Bingokooi hoorde ik dat ze weg was en pas over een week terugkwam. Een week! Dan waren wij alweer naar Nederland.
Daarna heb ik heel wat tentjes gezien, niet te geloven hoeveel soorten tentjes je hebt. Toch werd het nooit zo mooi als die eerste nacht met haar. Ik heb de hele terugweg aan haar gedacht. Map dacht dat ik zat te huilen. En dat was ook zo. Ik ga nooit meer iemand tegenkomen die zo mooi en lief en perfect is als zij.
Voor mij heeft het leven geen zin meer. Ik hoop dat de Maya's gelijk hebben.

ALFRED ROSENBERG:
"No."
Antwoord op de vraag of hij nog iets te zeggen had voor hij werd geëxecuteerd.

HANNIE SCHAFT:
"Ik schiet beter!"
Tegen de Duitse soldaat die haar had neergeschoten, waarop de soldaat zijn geweer opnieuw laadde en het op haar leeg schoot.

GEORGE BERNARD SHAW:
"Dying is easy, comedy is hard."

Ik hoor een klok die twaalf slaat
en dat klinkt beslist niet goed
dus bid dat er een god bestaat

De goudvis is gereduceerd tot graat
en al het landschap omgewroet
Ik hoor een klok die twaalf slaat

Aan oorlogszucht en mensenhaat
doet menigeen zich graag tegoed
dus bid dat er een god bestaat

Voor vluchten is het al te laat
de aarde smeult in as en roet
Ik hoor een klok die twaalf slaat

We staan erbij met loze praat
niemand weet hoe 't verder moet
dus bid dat er een god bestaat

Na zoveel jaar het resultaat:
de wereld wordt gesmoord in bloed
Ik hoor een klok die twaalf slaat
dus bid dat er een god bestaat

Het Einde van de Wereld volgens... anderen

Wij van De Ploeg geloven in de door de Maya's voorspelde Apocalyps. Dat geloof komt niet uit de lucht vallen, we hebben ons uiteraard verdiept in andere theorieën over de ondergang van de wereld. Omdat we u vragen lid te worden van De Ploeg en u onze overtuigingen moet kunnen delen, leggen we verhalen van andere gelovigen voor. Lees en oordeel zelf: de Maya's (lees: de leden van De Ploeg) hebben gelijk.

JEHOVA'S GETUIGEN

Jehova's getuigen geloofden dat het Einde der Tijden, ofwel het *Armageddon*, vanaf 1914 zou uitbreken. Het zou één mensengeslacht betreffen. Deze overtuiging baseerden ze op Mattheus 24:34. Sinds 1914 is deze interpretatie meerdere keren gewijzigd. Om de tijd wat te rekken, werden bijvoorbeeld ook alle mensen die in 1914 waren geboren tot het betreffende mensengeslacht gerekend. Toen de maximale rek was bereikt, introduceerden de Jehova's een alternatieve interpretatie: *De Wachttoren*. Hierbij legden ze uit: 'In werkelijkheid heeft een geslacht meer te maken met mensen dan met een vastgesteld aantal jaren.'
Wij van De Ploeg menen dat een geslacht met nog veel meer te maken heeft.

VADER PJOTR

Pjotr Koeznetsov, ook wel Vader Pjotr genoemd, was de leider van een Russische sekte die geloofde dat de wereld in mei 2008 zou vergaan.

In november 2007 barricadeerde de sekte zich met een gastank in een grot aan de voet van de rivier de Wolga, om daar ongestoord op Het Einde te wachten. De groep dreigde zichzelf op te blazen wanneer de politie pogingen zou doen om in te grijpen. Het ging om 29 volwassenen en vier kinderen.

Vader Pjotr verbleef zelf niet in de grot omdat God met hem 'andere plannen had'. Volgens de overlevering zou hij schizofreen zijn en in een doodskist slapen.
In april 2008 verlieten de meeste sekteleden de grot, in mei keerde ook de rest terug naar huis. Vader Pjotr werd gearresteerd.

Na decennia verplicht atheïsme onder communistisch regime, voelen veel Russen zich aangetrokken door sektes. Veel van hen weigeren nieuwe paspoorten, omdat de cijfers een duivelse combinatie zouden zijn. Dat brengt ons van De Ploeg erop u nog even te herinneren aan uw

unieke Ploegcode die op pagina 38 is te vinden.

AUM SHINRIKYO

Aum Shinrikyo, Japans voor 'Absolute Waarheid', is de naam van een voormalige Japanse sekte.
We kennen deze groepering van de aanslag op de metro in Tokio op 20 maart 1995, waarbij sekteleden het zelfgemaakte zenuwgas *sarin* verspreidden. Er vielen twaalf doden en duizend gewonden.

De sekte hing een geloof aan dat was gebaseerd op een mix van boeddhisme, hindoeïsme en christendom. Aan het hoofd van de sekte stond Shoko Asahara, een blinde acupuncturist.

Asahara predikte een onheilsboodschap over een derde wereldoorlog die zou eindigen in een nucleair *Armageddon*. De mensheid zou uitsterven, op een kleine elite na. Asahara pleitte voor politieke actie om de wereld te redden van die ondergang. Zijn sekte had een sterk gesloten karakter. Leden moesten ieder contact met de buitenwereld verbreken. Ze sloten hun kinderen op in isoleercellen. Verder verfden ze hun wenkbrauwen groen en droegen hoofddeksels die breinfrequenties konden doorgeven.

MARCHALL APPLEWHITE (OOK WEL DO GENOEMD)

Applewhite, een zelfbenoemde profeet en messias, was de leider van de religieuze groepering *Heaven's Gate*. Het begon op 26 maart 1997. De komeet Hale-bobb was duidelijk te zien in de lucht.
Volgens Applewhite zou een ieder die op die dag zelfmoord zou plegen, door een ruimteschip worden meegenomen en naar de komeet worden gebracht. Daar zou een nieuw leven beginnen, de eeuwigheid van *The Next Level*. Zo aten 21 vrouwen en achttien mannen pudding met appelsaus vermengd met giftige stoffen. Allen stierven. Ook Applewhite. Het was de grootste zelfmoordactie in Amerika ooit. De sekte was bijzonder actief op internet. Via profetische postings trachtten ze nieuwe leden te werven. Tot het tijd werd om te vertrekken. Of de zelfmoordenaars ooit op Hale-bobb zijn aangekomen, is onzeker. Eén ding staat vast: op internet zijn ze in virtuele zin onsterfelijk geworden. Ook wij als De Ploeg zijn bijzonder actief op internet:

Voortekenen

Han: In 2011 werd al duidelijk dat de wereld zou vergaan. We strompelden van het ene incident naar het andere incident. Onrust en nog eens onrust. Niets was meer iets waard. Levens, leiders, familie, gezin, geld.

Allen: Klopt.

Titus: Januari 2011: in de Braziliaanse staat Rio de Janeiro begint een reeks grote overstromingen die aan tenminste negenhonderd mensen het leven kost.

Han: Een schietpartij in een winkelcentrum van Alphen aan den Rijn. Twee aanslagen in Noorwegen. Een autobom in Regjeringskvartalet, de regeringswijk van Oslo, levert acht doden op. Ruim een uur later vallen bij een schietpartij in een jeugdkamp van de Noorse Arbeiderspartij op het eiland Utøya 69 doden. Later dit jaar een schietpartij in Luik.

Genio: De bankencrisis, de euro-crisis. Griekenland, Italië en Spanje in de problemen. De Arabische lente, Tunesië, Egypte, Libyië, Syrië.

Viggo: Knobbeltjes op de stembanden van Nick en Simon.

Peter: De aardbeving in Japan, gevolgd door een tsunami in Japan, gevolgd door de kernramp van Fukushima. Aardbevingen in de rest van de wereld. Eén daarvan, met een kracht van 4,5 op de schaal van

VIRUSSEN

De digitale wereld ligt voortdurend onder vuur. Elke dag worden talloze vernietigende virussen op belangrijke bestanden afgevuurd. Dat is 25 jaar geleden begonnen. Het eerste computervirus, het zogenaamde Brainvirus, infecteerde de opslagschijf van MS Dos en veranderde de naam van de schijf in BAD. Het was de aftrap voor een ingrijpende, onophoudelijke digitale oorlog. Zoals ook bij een 'echte' oorlog, leveren bestrijding en voorkoming van aanslagen onwaarschijnlijk veel geld op. Kortom: we zijn inmiddels economisch afhankelijk van computervirussen.

Richter, wordt in een groot deel van Nederland gevoeld. Het epicentrum ligt in het Duitse Xanten. Het onvermogen van België om een regering te vormen. De honger in Afrika.

Viggo: Knobbeltjes op de stembanden van Jan Smit.

Titus: De dood van Khadaffi, de dood van Rijk de Gooijer, de dood van Steve Jobs. Bram van der Vlugt maakt via een speciaal ingelast *Sinterklaasjournaal* bekend dat hij stopt met zijn taak als vaste raadsman van Sinterklaas. Stefan de Walle neemt zijn staf en mijter over.

Viggo: Knobbeltjes op de stembanden van Marco Borsato.

Genio: Allemaal tekenen van een wereld in verval. Wikileaks, het Britse afluisterschandaal, de occupybeweging, de maandenlange onrust bij Ajax. Strauss-Kahn wordt in New York gearresteerd op verdenking van aanranding van een hotelwerkneemster. Vier dagen later legt hij zijn functie neer.

Viggo: Knobbeltjes op de stembanden van de drie J's.

Han: Overal veel te hoge temperaturen. Nederland is op 7 mei met 28 graden het warmste land van Europa. Het Britse afluisterschandaal, de verzakking van een winkelcentrum in Heerlen.

Peter: De aarde telt, volgens de Verenigde Naties, vanaf vandaag officieel zeven miljard mensen.

Viggo: Knobbeltjes op de stembanden van Gerard Joling.

Titus: Wat hebben knobbeltjes op stembanden te maken met het Einde van de Wereld in 2012?

Viggo: Op het eerste gezicht misschien niets, maar dan moet je maar eens met een goeie KNO-arts praten. KNO-artsen uit de hele wereld hebben het laatste jaar een excessieve toename van knobbeltjes op stembanden geconstateerd.

Peter: Dat komt door een combinatie van hebzucht en te weinig zangtechniek. Artiesten die geen zangopleiding hebben genoten, treden zoveel op dat hun stembanden oververmoeid raken. Dan gaan ze forceren en ontstaan er poliepen, ofwel knobbeltjes op de stembanden.

Viggo: Daar denken KNO-artsen volstrekt anders over. Er zijn in de geschiedenis heel veel zangers zonder techniek geweest die heel veel optraden en toch geen knobbeltjes op hun stembanden kregen. Zelfs totaal onbekende zangers, zoals Jaap van der Slagmulders, Dave van Bergen en Jolinde Kraaksma hebben hier last van en zij treden maar één à twee keer in de maand op.

Han: Ja, en?

Viggo: Als je goed naar de stembanden van een mens kijkt, zie je een soort doorgang die zich deels of helemaal sluit bij spreken en

zingen. Zonder stembanden geen geluid. Stembanden sluiten zich met spierkracht. Die spierkracht is zo minimaal en gevoelig, dat de kleinste verandering in de *Umwelt* al gevolgen heeft. Laat staan de veranderingen die we nu ondergaan. Doordat het magnetisme op aarde langzaam verandert, en de stand van de aarde ten opzichte van de zon, de maan en de melkweg verschuift, kunnen de stembanden zich niet meer helemaal sluiten. Daarom hebben zangers dus steeds vaker problemen met hun stem. Vooral die hoge tonen zijn heel moeilijk te halen met niet goed sluitende stembanden.
Een Gerard Joling heeft daar bijvoorbeeld veel last van.
Titus: Ik vind dat in principe geen ramp.
Viggo: In het laatst gegeven voorbeeld niet. Maar met knobbels op de stembanden wordt ons symbolisch 'het zwijgen opgelegd'. Dat is een teken.
Peter: Wat betekent dat voor ons?
Viggo: Wij zullen op tijd moeten zwijgen. De eerste zes maanden van 2012 zullen we ons laten horen. Daarna houden we ons twee maanden stil. Daardoor zal 'De Dreiging' denken dat ook onze stembanden getroffen zijn. Maar dat is pure schijn. Wanneer de nood aan de wereld komt, hebben alle Leden van De Ploeg namelijk allemaal hun stem nog. Snap je?
Peter/Titus/Han/Genio: Ja!
Viggo: En kijk vooral uit in Volendam...

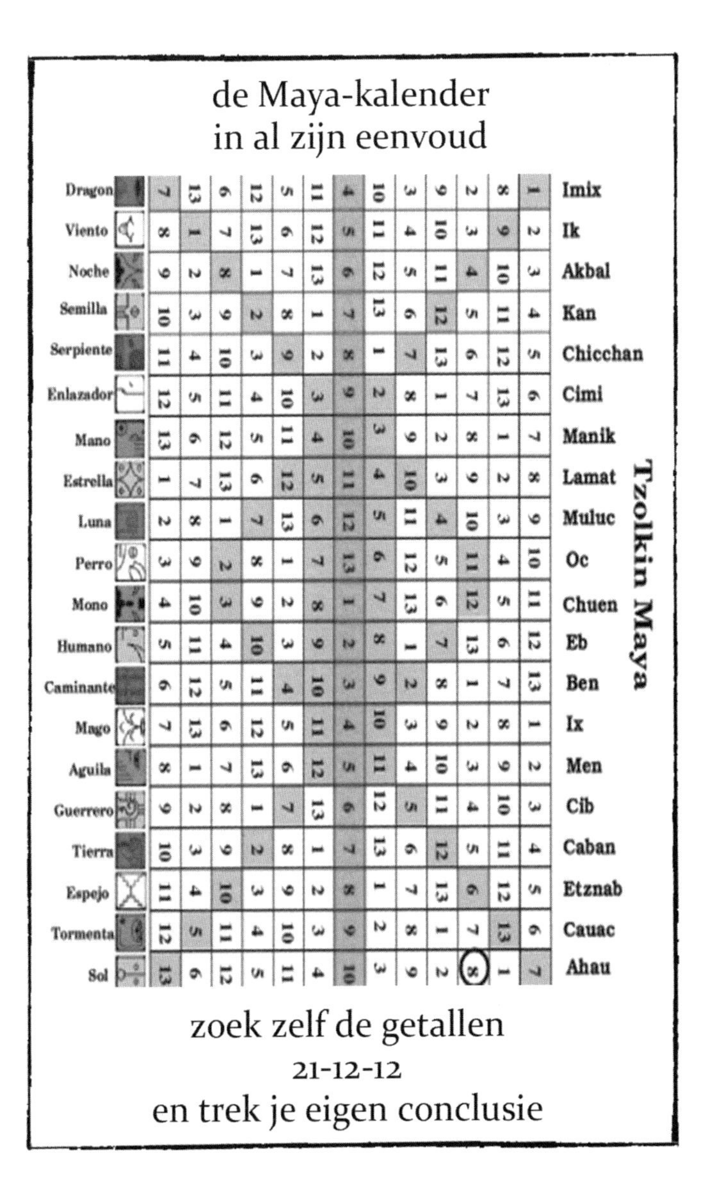

Dragon	7	13	6	12	5	11	4	10	3	9	2	8	1	Imix
Viento	8	1	7	13	6	12	5	11	4	10	3	9	2	Ik
Noche	9	2	8	1	7	13	6	12	5	11	4	10	3	Akbal
Semilla	10	3	9	2	8	1	7	13	6	12	5	11	4	Kan
Serpiente	11	4	10	3	9	2	8	1	7	13	6	12	5	Chicchan
Enlazador	12	5	11	4	10	3	9	2	8	1	7	13	6	Cimi
Mano	13	6	12	5	11	4	10	3	9	2	8	1	7	Manik
Estrella	1	7	13	6	12	5	11	4	10	3	9	2	8	Lamat
Luna	2	8	1	7	13	6	12	5	11	4	10	3	9	Muluc
Perro	3	9	2	8	1	7	13	6	12	5	11	4	10	Oc
Mono	4	10	3	9	2	8	1	7	13	6	12	5	11	Chuen
Humano	5	11	4	10	3	9	2	8	1	7	13	6	12	Eb
Caminante	6	12	5	11	4	10	3	9	2	8	1	7	13	Ben
Mago	7	13	6	12	5	11	4	10	3	9	2	8	1	Ix
Aguila	8	1	7	13	6	12	5	11	4	10	3	9	2	Men
Guerrero	9	2	8	1	7	13	6	12	5	11	4	10	3	Cib
Tierra	10	3	9	2	8	1	7	13	6	12	5	11	4	Caban
Espejo	11	4	10	3	9	2	8	1	7	13	6	12	5	Etznab
Tormenta	12	5	11	4	10	3	9	2	8	1	7	13	6	Cauac
Sol	13	6	12	5	11	4	10	3	9	2	8	1	7	Ahau

Eventjes helemaal niks

(neem de tijd om al het voorgaande op u in te laten werken)

Zo, en nu verder...

Nonkels aangeklede noodmaaltijdsoep – nr 7

NEEM MEE VOOR ONDERWEG:
Gedroogde bruine bonen
Blokjes bouillon
Steelpannetje
Lepel
Aansteker

ZOEK VANUIT UW SCHUILPLAATS:
Sprokkelhout, handvol beukennootjes, 10 wilde of weidechampignons (of eekhoorntjesbrood), 3 wilde uien, 2 tamme kastanjes, circa 50 gram Lisdoddewortel, verse beukenbladeren, bosje daslook

BEREIDING:
Week de bonen (100 gram) een dag in water. Maak een vuurtje. Kook de bonen gaar in een liter bouillon.
Giet ze met het vocht in bijvoorbeeld een leeg conservenblik. Rooster op een zacht vuurtje de gepelde beukenootjes tot iets van de olie loslaat.
Fruit daarbij de wilde ui, de fijngemaakte Lisdoddewortel, de gesnipperde kastanjes en de paddestoelen tot alles mooi zacht is.
Voeg de bouillon met bonen toe.
Snipper de verse beukenbladen en de daslook en roer dit er doorheen.
Opdienen maar.
Aarzel niet en voeg een flinke hoeveelheid geroosterde pissebedden toe.

Delicatesse!

Map over het Einde

Ik begrijp eigenlijk niet waarover iedereen zo in paniek is. Inslaande kometen, een scheurende aardkorst, gutsend water. Zo voel ik me al mijn hele leven. Van binnen. Een stomp in mijn gezicht, een mes door mijn lijf, en die constante huilbuien; het leven ontrolt zich als één grote ramp waarbinnen ik overeind probeer te blijven. Het zal geen toeval zijn dat mijn cyclus altijd spat gelijk liep met de sirenes op de eerste maandag van de maand. Maar nu iedereen bibberend uitkijkt naar het Einde der Tijden, word ik heel rustig. Eindelijk komt de wereld een beetje overeen met hoe ik me altijd heb gevoeld. Ik zit, zou je kunnen zeggen, tegen mijn eigen binnenkant aan te kijken en het is alsof ik thuiskom. Zo vertrouwd.

Toen ik vanochtend uit het raam keek, zag ik de hordes plunderend door de straten gaan; mensen graaiden spullen uit winkels terwijl de modderstromen langzaam over de stoepen slingerden en de eerste gifwolken voorbij dreven.
Helemaal in de verte keek een jongetje me glimlachend aan. Het was het jongetje dat ik vroeger was. Ja, het *jongetje*.

Dat verbaast u misschien, maar vroeger was ik inderdaad een jongetje. Met alles erop en eraan.

Ik weet niet of het kwam door mijn bril, door mijn meegaande karakter of door mijn neiging altijd maar voor iedereen te willen zorgen, maar op de één of andere manier werd ik altijd geschopt en gepest. Dat pesten was nog wel te verdragen, maar dat schoppen werd op den duur heel ongemakkelijk. Rondlopen met verbrijzelde knieën en enkels was op een gegeven moment niet meer te doen. Iets in mij begreep dat het zo niet langer kon. En toen begon mijn lichaam te veranderen.
Mijn piemel verschrompelde, er ontwikkelden zich twee borstjes en ik kreeg de onbedwingbare behoefte om geruite jurken te dragen.
Ik werd Map.

Op mijn achttiende was ik af. Zo zag ik eruit. Zoals nu. Vanaf dat moment liet iedereen me met rust. Niemand zag me meer staan. En vanaf datzelfde moment zat al het geweld, hele vulkanen en tsunami's, in mijn binnenste opgesloten.
Binnenkort komen al mijn krachten vrij. Ik hoop dat ik explodeer. En dat een grote Map-wolk zich verspreidt in het heelal.

Het Einde van de Wereld volgens Johan Cruijff

Ja, als je dus denkt aan het Einde van de Wereld, moet je eigenlijk alleen maar denken: wat kan ik doen om eraan te ontsnappen? Maar dat is logisch.
Want je kan de wereld in twee zaken verdelen: in mensen wie niet kunnen ontsnappen aan het Einde en mensen wie wel kunnen ontsnappen aan het Einde.

In principe is het Einde van de Wereld natuurlijk het Einde van de Wereld. Maar omdat de aarde rond is, is elk einde ook een nieuw begin.
Je zal dus zien dat mensen wie vanuit hun jeugd al hebben meegekregen wat ontsnappen is, meer kans hebben om te overleven.
Jong geleerd is oud bestaan.

Je moet dus eigenlijk zo snel mogelijk een jeugdopleiding starten waarin jonge kinderen leren hoe ze zich kunnen onttrekken aan het Einde van de Wereld.
Zo'n opleiding moet je natuurlijk laten leiden door sporters wie de beste zijn in doodtrappen ontwijken. Je moet geen mensen hebben wie niet gewend zijn om dat te doen. Je laat een ijsbeer ook niet opvoeden door een pinguïn. Of andersom.
Als je zo'n jeugdopleiding laat leiden door mensen wie niet eens weten wat het Einde van de Wereld is, kun je alleen nog maar de fout in gaan. Je moet het Einde van de Wereld zien voordat het zover is, want regeren is vooruit kijken.
Als het Einde begint, moet je dus weten wat je doet in zo'n situatie. Ik zeg dan altijd: nooit wegrennen naar de kant waar het Einde van de Wereld is, maar juist naar de kant waar het Einde niet is.
Appeltje, eitje voor een karweitje.

Het is net als vrijlopen: loop altijd de kant op waar niemand staat.
Als je gaat staan waar al iemand staat, sta je ergens voor niets.
Als je gaat staan waar niemand staat, word je gezien.
Waar er meer staan, zien ze er ook meer en moeten ze dus kiezen.
Kiezen is altijd lastig voor mensen wie moeten kiezen en dus maken ze vaak de verkeerde keuze. En verkeerde keuzes maken, leidt tot fouten.
De goeie kant oplopen dus.
Dat is vaak niet de kant waar de meeste mensen naartoe lopen, want de meeste mensen lopen vaak achter iemand aan wie de foute keuzes maakt. Loop vooral niet achter hardlopers aan, hardlopers zijn slotlopers.
Helder als gras.

Als je eenmaal de goeie kant bent opgelopen, ben je er nog niet, want dan kun je twee zaken doen: of naar een A-kant lopen – de eerste kant van de medaille – en denken: ik ben gered, stilstaan en voor je het weet ben je niet gered.
Of naar een B-kant – de tweede kant van de medaille – en doorlopen tot je werkelijk gered bent omdat je veilig aan de goeie kant staat. En veilig aan de goeie kant is dus in dit geval net over het Einde van de Wereld, want dan sta je aan het begin.
Klaar is een klontje.

Johan

KEITH MOON (THE WHO):
"Als je daar geen zin in hebt, dan rot je maar op."
Nadat zijn vriendin weigerde om steak en gebakken eieren voor hem te maken.

VOLTAIRE:
"Nou nou mijn beste man, dit lijkt me niet het moment om vijanden te maken."
Nadat de priester hem vroeg om Satan te verwerpen.

BOB HOPE:
"Surprise me."
Tegen zijn vrouw die hem vroeg waar hij begraven wilde worden.

Maya Gabeira

Maya Gabeira

Op sl[illegible]4-jarige leeftijd wordt Maya Gabeira wereldwijd erkend als de beste vrouwe[illegible]-wave surfer van dit moment. Dit heeft ze te da[illegible]en aan haar vaardighe[illegible]lef, die bijdragen aan haar grootste prest[illegible] Maya is de eerste Braziliaa[illegible] prestigieuze titel van de XXL 2007 [illegible]s (overall) op haar naam heeft ges[illegible]
Deze dame uit Ri[illegible]aneiro is de dochter [illegible]federale adjunct Fernando Gabeira, maar van po[illegible]il ze echter niets [illegible]en. Haar doel is om zich te specialiseren in de zogeno[illegible]ow in' me[illegible]e, een methode waarbij grote golven gecreëerd kunnen wor[illegible] ult[illegible] uitdaging voor iedere surfer.
Maya's carrière begon bij toe[illegible]eerde de sport kennen tijdens het wachten op haar ex-vriendje die gr[illegible] in de zee bleef om te surfen met zijn vrienden. Moe van het lan[illegible]acht[illegible]loot ze niet langer stil te zitten. Vijf jaar geleden schreef ze [illegible]in op een [illegible]hool in Arpoador, in de buurt van Rio de Janeiro. Sinds[illegible] is ze niet weg te[illegible]en uit de surf scene en boekt ze verschillende over[illegible]ingen. Maya woont m[illegible]teel op de Oahu, Hawaii. Als de golven niet [illegible] genoeg zijn om te surfen [illegible]e hardlopen of doet ze aan yoga. De red[illegible]oor al deze inspanningen? Haar [illegible]is om de beste big-wave surfer alle[illegible]en te worden.

Gerard, deze zouden
we eruit gooien!!!

Wat voor type mens ben je in een dreigende situatie?

Wat je normaal gesproken doet, hoe je handelt in een bedreigende situatie, hangt samen met het type mens dat je bent. Wij beschrijven hier een vijftal types. Kijk eerst eens waar je jezelf in herkent.
De beschrijving wordt gevolgd door een korte test waarmee je eenvoudig kunt ontdekken welk type je bent. Handig om te weten. Bovendien begrijp je hierdoor ook je reactie op adviezen in dit boekje beter. Of die van anderen.

TYPE 1 - DE STRUISVOGEL

Dit veelvoorkomende type doet wat de meeste mensen doen, namelijk 'struisvogelen' (vandaar ook de naam). Lekker met het koppie in het zand. Gewoon doen of er niks aan de hand is. Over het algemeen roepen Struisvogels dat het 'allemaal onzin is' en ontkennen ze ieder overduidelijk teken dat wijst op het naderende einde. Dit gedrag zien we vaak bij mensen die:

- Bij een ruzie even naar de keuken lopen om terug te komen met koffie en tompoucen en dan roepen: "Nou, gezellig!"
- Vermoeden dat hun partner vreemdgaat maar daar niet over beginnen, want: je wil hem/haar toch ook niet kwijt.
- Naar hun baby kijken en roepen: "Oh, wat lief, hij zei moeder," terwijl iedereen in de kamer toch heel duidelijk hoer verstond.

TYPE 2 - DE BERUSTER

De Beruster gelooft wel dat er iets gaat gebeuren, maar denkt hier toch niets aan te kunnen doen. Het betreft vaak mensen die moeilijk kunnen kiezen.

Berusters zijn mensen die:

- Liever wachten tot een ander de keuze maakt, dan roepen ze dat ze het er niet mee eens zijn, maar "Dat het dan maar zo moet."
- Al jaren niet tevreden zijn met hun werk, maar te bang zijn om iets anders te zoeken.
- Hun lunchpakket openmaken en verzuchten: "Weer kaas," terwijl ze het zelf hebben klaargemaakt.
- De liefde van hun leven wel kennen, maar samenwonen met iemand die makkelijker is in de omgang.
- Elk jaar op vakantie gaan naar precies dezelfde camping en elk jaar vaststellen dat het daar altijd regent.

Netto is het resultaat bij Berusters hetzelfde als bij Struisvogels: gewoon niks doen.

TYPE 3 - DE ONTKENNER (OOK WEL DE OPTIMIST)

Mensen die tot dit type behoren, geloven dat er niks gaat gebeuren. Het is immers "allemaal gelul."

De Ontkenner is te herkennen aan de volgende uitspraken:

- "Het valt allemaal wel mee."
- "Eerst zien, dan geloven."
- "Het zal mijn tijd wel duren."
- "Ze zeggen zoveel."
- "Ik heb gelezen dat het juist steeds kouder wordt op de aarde."
- "Ik heb gehoord dat de euro juist een hele sterke munt is."
- "Ik drink er geen biertje minder om."
- "Uitstekelbaars."
- "Gezellie."
- "...Hoe leuk is dat."
- " Haaaaaaaaiiiiiii schatje..."

Netto hetzelfde resultaat als bij De Struisvogels en De Berusters: ze doen niets.

TYPE 4 - DE VOORBEREIDER

Mensen van dit type sluiten níet uit dat er iets gaat gebeuren, en bereiden zich daar voor de zekerheid vast op voor. Het zekere voor het onzekere. Baat het niet, dan schaadt het niet. Voorbereiders zijn mensen die altijd een beetje wantrouwend in het leven staan. Tot dit type behoren mensen die:

- In het kader van 'je weet nooit wat je daar nodig hebt' op vakantie gaan met een enorme hoeveelheid spullen. En dan niet alleen de welbekende hagelslagen en pindakazen, maar bijvoorbeeld ook afbakstokbroden voor het geval er in Frankrijk geen Boulangerie in de buurt is.
- In het kader van 'je kunt nooit voorzichtig genoeg zijn' altijd de telefoon van hun partner checken. "Wie is Sandra en wat bedoelt zij met morgen beginnen we iets later? Of weet je wat: ik bel haar zelf wel even."
- In het kader van 'hoe werkt het ook al weer?' eind september vast gaan oefenen met de sneeuwkettingen.
- In het kader van 'ik ben verkouden en heb misschien wel Aids' op medische internetsites gaan speuren.
- In het kader van 'ik moet straks mogelijk plassen' voor aanvang van een vergadering alvast naar de wc gaan.

Bij Voorbereiders wordt aldus veel voorbereid. Maar meer uit angst dan uit kennis.

TYPE 5 - DE ONDERZOEKER

De Onderzoeker is het type dat zich uitgebreid laat infomeren over wat er gaat gebeuren, oprecht geïnteresseerd is en waar nodig maatregelen treft.

(ADVERTENTIE)
laat den
zondvloed
maar komen...
paraplu's van
Ter Beek
zullen een nat pak
voorkomen!

Onderzoekers zijn mensen die:
- Zich niet gek laten maken, maar rustig op onderzoek uit gaan.
- Weten wat ze het beste zelf kunnen doen en wat ze beter aan anderen kunnen overlaten.
- Ook wel eens aan hun partner vragen wat die eigenlijk lekker vindt.
- Bij het aansluiten van een nieuw apparaat eerst de handleiding lezen in plaats van puur op de gok stekkertjes in volkomen willekeurige gaatjes te steken.
- Niet hun leven lang met dezelfde oplossing komen voor steeds verschillende problemen.

Onderzoekers koppelen voorbereidingen aan kennis en weten vaak de juiste mensen om zich heen te verzamelen.

Voor de duidelijkheid: De Ploeg bestaat louter uit dit type mensen.

TEST: WELK TYPE BEN IK?

Vul aan: Als ik de bovenstaande types lees, herken ik mezelf het meest in...

A Type 1
B Type 2
C Type 3
D Type 4
E Type 5

UITSLAG

Als u A heeft ingevuld, dan bent u waarschijnlijk type 1.
Als u B of C heeft ingevuld, dan bent u waarschijnlijk ook type 1.
Als u D heeft ingevuld, bent u waarschijnlijk type 4.
Als u E heeft ingevuld, bent u waarschijnlijk type 5. Hoewel het ook een gespeeld type kan zijn van 1, 2 of 3.

HOE TE HANDELEN?

Behoor je tot type 1, 2, 3 of 4, dan stellen wij voor dat type los te laten. Het lijkt ons wijsheid om er met z'n allen vanuit te gaan dat er iets te gebeuren staat en dat we ons daarop voorbereiden. Dat we zoeken naar oplossingen en de juiste mensen om ons heen verzamelen.
Wat voor buil kunnen we ons daaraan vallen? Geen enkele.
Want stel er komt geen catastrofe, dan hebben we geluk.
Komt er wel een catastrofe, dan hebben we ons voorbereid. Niet uit pure paniek, maar vanuit realiteitszin.
Zo hebben we dus hoe dan ook een win-win-win situatie.

Kortom: sluit je aan bij De Ploeg en word een type 5.

Broer over het Einde van de Wereld

Door mijn ervaringen met Pap en vooral met Nonkel ben ik veel meer geïnteresseerd in vrouwen (Map) en dieren.
Ik lees ook heel erg veel over vrouwen en dieren.
Vooral over dieren.
Maar ook over vrouwen.
Ik heb ook heel veel series over dieren gezien.
Het is verbijsterend om te merken hoeveel dieren iets van tevoren zien aankomen. Of beter gezegd: voelen aankomen. Dieren voelen dingen in de natuur veel beter aankomen dan mensen. En vrouwen veel beter dan mannen.
Ik voel mezelf ook meer vrouw dan man. En voor de helft dier. Ik praat ook meer met dieren dan met mensen. Dieren oordelen minder. Ik denk dat ze daarom ook meer tijd hebben om te voelen. Ik geef een aantal voorbeelden uit mijn dierenboeken:

TSUNAMI 26 DECEMBER 2004
De functionarissen van Natuurbeheer in Sri Lanka zijn met stomheid geslagen. De tsunami heeft in het land tienduizenden mensen het leven gekost, maar dode dieren zijn er niet te vinden. Bij het Yala National Park, Sri Lanka's grootste wildlife reservaat, woongebied van honderden olifanten en verscheidene luipaarden, stuwden enorme golven het water tot drie kilometer het land in en richtten een enorme ravage aan. "Het bizarre feit doet zich voor dat we geen dode dieren hebben gezien," zegt H.D. Ratnayke, directeur van het nationaal Wildlife Department. "Er is niet één olifant doodgegaan. Ook geen spoor van een dode haas of konijntje," voegt hij toe.
Ratnayke vermoedt dat dieren een zesde zintuig hebben. Ze voelen natuurrampen aankomen. Over dit bovennatuurlijk gedrag van dieren bestaan nog veel meer voorbeelden.

ERGENS ANDERS, VEEL EERDER
In het oude Griekenland doken al in 373 voor Christus verhalen op over ratten en duizendpoten die vóór een aardbeving veilige plaatsen opzochten. Vlak voor de zware aardbeving in 1960 in Marokko, die 15.000 slachtoffers eiste, was te zien hoe een heel gebied met dieren leegstroomde. Ook in eigen land vinden we voorbeelden. Vlak voor de zware stormen in 1972, 1973, 1976 en 1990, waarbij miljoenen bomen op de Veluwe tegen de vlakte gingen, zagen bosbeheerders het wild massaal de bossen uitkomen. Dergelijke verhalen kunnen worden afgedaan als verzinsels, maar de bewijzen dat dieren over een geheim-

zinnig vermogen beschikken om grote rampen te voorspellen stapelen zich op. In China benadert men het paranormale met meer respect en bestudeert men al eeuwenlang het gedrag van dieren vlak voor aardbevingen.
Wij merken het thuis aan Harrie de Schildpad. Vlak voor Pap enorm kwaad wordt, is Harrie onvindbaar.
Ook Map weet vaak al ruim van tevoren dat Pap gaat ontploffen.
Hoewel dat met Pap minder moeilijk is omdat het iedere dag gebeurt.

MAGNETISME

Hoe is het mogelijk dat duizenden vissen in scholen zwemmen, zonder dat ze tegen elkaar aan botsen? Hoe kunnen zwermen van duizenden spreeuwen precies dezelfde wendingen en *loopings* vliegen?
Uit onderzoek is gebleken dat dieren over een bijzonder orgaan beschikken, het zogenaamd 'zijlijnsysteem', waarmee ze mechanische trillingen opvangen. Van haaien en walvissen is bekend dat ze veranderingen in het aardmagnetische veld kunnen oppikken waardoor ze, zonder noemenswaardig van hun koers af te wijken, lange afstanden kunnen afleggen in de oceaan. Ook duiven kunnen reageren op magnetische velden. Met of zonder tegenwind vliegen ze vanuit Zuid-Frankrijk terug naar hun eigen duiventil in Nederland.

GELUIDEN

Vleermuizen, vlinders en insecten kunnen geluiden waarnemen die mensen niet opvangen. Sommige zoogdieren kunnen elkaar waarschuwen met ultrasone, voor de mens onhoorbare, geluiden. Omdat dieren elkaar kunnen waarschuwen voor onraad, blijven veel dierenlevens gespaard.

TRILLINGEN EN SCHOKKEN

Dieren kunnen dus met elkaar communiceren zonder dat wij dat horen of zien. Maar het lijkt erop dat ze ook andere signalen kunnen opvangen vlak voordat een aardbeving of vulkaanuitbarsting plaatsvindt. Het zou kunnen dat sommige dieren gevoelig zijn voor bepaalde lichte schokken, voorafgaand aan een vulkaanuitbarsting of aardbeving.

WEERSVERANDERINGEN

Dieren reageren ook op veranderingen in het weer waar wij mensen zonder hulp van meetinstrumenten geen weet van zouden hebben. Vlak voor het onweer losbarst, kruipen dieren al weg. Veranderingen in vochtigheid, temperatuur, luchtdruk en wind zijn allemaal weerprikkels voor dieren.
Ooit een reiger gezien die werd verrast door het noodweer?
Nou dan.

Bronnen: internet en eigen observaties

GERRIT ACHTERBERG:
"Ja, maar niet teveel."
Achterberg had net zijn auto geparkeerd, toen zijn vrouw vroeg: "Zal ik aardappeltjes bakken?"
Nadat Achterberg antwoord had gegeven, kreeg hij een fatale hartaanval.

GEORGE APPEL:
"Well, gentlemen, you are about to see a baked Appel."
Vlak voor hij in een elektrische stoel werd geëxecuteerd (1928).

HUMPHREY BOGART:
"I should never have switched from Scotch to Martinis."

HOE ZIT DAT DAN MET VROUWEN?

Vrouwen zijn intuïtief beter dan mannen. Ze voelen over het algemeen ook gelijk of een man liegt.

Sommige vrouwen merken zelfs al dat je overweegt om te gaan liegen.

Zit je net te denken dat je die andere vrouw maar weer eens moet bellen om wat af te spreken en wat voor smoes je daarvoor uit een laatje gaat trekken, zegt je eigen vrouw al: "Zit je weer aan die 'haar' te denken?"

En dan wordt 'haar' uitgesproken in de betekenis van 'hoer'.

Het is als man niet te begrijpen met welke instrumenten een vrouw dwars door je heen kan kijken.

Ik zat een keer bij een kapper in de stoel. Liep een man langs de winkel. Zegt de vrouw van de kapper: "Henk," (want zo heette de kapper) "die man die langsliep, wilde naar jou zwaaien." Waarop Henk naar buiten loopt en achter de man aan gaat om te vragen of hij inderdaad wilde zwaaien.

"Dat klopt," zei de man: "Ik wilde zwaaien."

Het lijkt een onbelangrijk voorbeeld, maar ik vind het beangstigend dat het klopte.

Ik heb het boek van Julian Barnes, *Een geschiedenis van de wereld in 10 hoofdstukken* gelezen en hij stelt dat alles met elkaar in verband staat en vrouwen meer betrokken zijn bij alle cycli van de natuur, van geboorte en van wedergeboorte op deze planeet dan mannen die tenslotte alleen maar bevruchters zijn als puntje bij paaltje komt. En als vrouwen meer voeling hebben met de planeet en als er dan in het noorden verschrikkelijke dingen aan de hand zijn, dingen die het hele bestaan van de planeet in gevaar brengen, dan voelen vrouwen die dingen misschien als enigen aan. Ik weet niet precies wat het betekent, maar wel dat Map langs de televisie kan lopen als Pap een wedstrijd zit te kijken. En dan zegt ze: "Ik denk dat die blauwe shirtjes gaan winnen met 3-1... want die lijken me veel leuker." Dan roept Pap woedend dat ze haar onnozele mond moet houden en dan wordt het inderdaad vaak 3-1.

CONCLUSIE

Pap heeft in zijn grote *Weetjesboek* gelezen dat de Maya's het Einde van de Wereld hebben voorspeld. Hij vindt dat totale onzin. Niet dat het Einde van de Wereld nabij is. Maar wel dat de Maya's het hebben voorspeld. Hij vindt het overschatte nepindianen. Pap is meer van de wetenschap. Hij is van iedereen in Nederland het langst geabonneerd op DE KijK. Daaruit heeft hij allerlei tekenen gehaald. En verder roept hij dat je het ook kan zien aan de euro, de crisis bij Ajax, Henk Bleker, het gedrag van leerlingen, de opkomst van bepaalde politieke

stromingen, de klimaatveranderingen, de cyclus van Map en zijn verstopte pijp.
Map is meer van gevoel.
Ze zegt dat ze voelt dat er iets gebeurt.
En dan is het zo.

Aan Harrie de Schildpad hebben we even niks omdat Pap Harrie heeft begraven omdat hij dacht dat hij dood was, maar niet wist dat schildpadden een winterslaap houden.
Wij zijn ons als gezin aan het voorbereiden op het Einde van de Wereld.
Pap heeft zich opgeworpen als Grote Leider.
Maar ik hou meer Map in de gaten.
Zij weet alles veel eerder dan Pap.
En ik volg dierenseries.
Ik hoop dat Nonkel net buiten loopt als het gebeurt.

OVERLEVERS

De mens mag dan wel een enorme overlever zijn, onder zware omstandigheden – zoals extreme hitte of kou en enorme doses straling – is het loodje snel gelegd. De kakkerlak is dan bijvoorbeeld al een stuk moeilijker uit te roeien. Niet alleen omdat ze zo razendsnel in spleten kunnen wegkruipen, maar vooral omdat ze verbazingwekkend goed tegen allerlei gifstoffen kunnen. Maar de absolute top is toch wel het Beerdiertje. Dat overleeft nog wanneer het wordt blootgesteld aan een druk van 6000 bar, aan kokend water of aan 272 onder nul én kan maar liefst tien jaar zonder vocht. Wij zeggen: petje af voor het Beerdiertje.

De Wet van de Omkering

Zoals we weten is de omkering van het magnetisch veld van de aarde één van de belangrijkste oorzaken van de ondergang van de wereld.
Op 21 december 2012 wordt de Noordpool de Zuidpool.
En andersom.
Maar omdat wij allemaal – mensen, dieren, planten – in meer of mindere mate magnetisch zijn, heeft dit niet alleen geografische gevolgen maar bijvoorbeeld ook relationele. Immers, wat eerst nog aantrok, stoot nu opeens af!
Dit kan beangstigend overkomen.
Tenzij je weet dat het gaat gebeuren.
Als je wilt dat alles hetzelfde blijft, moet je de dingen voor 21 december zelf omdraaien. Want op die dag draait alles wéér om.
En zo verandert er netto dus niets.

Het is ook niet toevallig dat de omkering op 21-12 plaatsvindt. Als je deze cijfers omdraait, verandert de datum niet en daarmee ligt hij dus vast!

Misschien klinkt het allemaal nog een beetje ingewikkeld en theoretisch, maar we geven een aantal praktische voorbeelden van wat je kunt doen.

Hangplant

VOORBEELD 1: DE CRISIS

Gebruik de crisis waar die voor bedoeld is. Namelijk als crisis.
Vecht er niet tegen maar laat het gebeuren. Geef zoveel mogelijk geld uit. Stort je in de schulden. Want op 21 december draait het om en krijg je alles weer terug.
Sterker nog: hoe meer je verliest, hoe meer je terugkrijgt.
Voor een verstandig financieel beleid zorg je dus dat je tegen het eind van dit jaar helemaal platzak bent. Berooid.

VOORBEELD 2: KAMERPLANTEN

Hangplanten verdienen dit jaar extra aandacht. Zet ze vanaf augustus elke dag een uur rechtop. Voer die frequentie langzaam op tot ze op 21 december de hele dag rechtop kunnen staan. Op 22 december heb je dan je oude hangplant weer terug!

VOORBEELD 3: RELATIES

Grote kans dat 2012 je relatie onder druk zal zetten. Dat is dus goed.
Een beetje ruzie is prima als je weet dat het toch weer omdraait.
Wanneer je partner een ander heeft: laat het maar even.
Wanneer alles omdraait volgen de hangende pootjes vanzelf.
Als je na 21 december echt goeie seks wilt hebben, begin dan nu vast één keer per week met servies te smijten.

EK VOETBAL

Nogal wat mensen maken zich zorgen over het EK voetbal. We zitten met Oranje in de moeilijkste poule: met Duitsland, Portugal en Denemarken.
Maar als alles omdraait, zitten we opeens in de makkelijkste poule.
En dan lijkt het allemaal opeens een stuk eenvoudiger.
Dat klopt ook: de laatste wedstrijd tegen Duitsland verloren we met 3-0. Omgekeerd worden dat onze eerste 3 punten. Van Portugal hebben we nog nooit gewonnen, dus in de nieuwe situatie hebben we al 6 punten, en staan we fluitend in de volgende ronde.
In de kwartfinale spelen we tegen Rusland, dat ons op het vorige EK uitschakelde. Dan volgt de halve finale tegen Spanje; tel uit je winst.
Door de Wet van de Omkering spelen we dus zeker de finale. Die wedstrijd is weer tegen de Duitsers, die we in de poulewedstrijd door schitterend voetbal met 3-0 hebben vernederd. Maar dat draait om.
En zo zullen we dus met heel slecht voetbal, door een laffe goal in de blessuretijd van de tweede verlenging, winnen.

Nu zul je zeggen: de Noord- en Zuidpool draaien volgens de voorspellingen pas op 21 december, en de EK beginnen al veel eerder.
Maar daarom wordt het kampioenschap ook in Polen gespeeld.*

PLOEG-TIP

Wees in 2012 over zoveel mogelijk dingen verbaasd of onder de indruk (ook al ben je het misschien niet echt). Want alles waar je nu helemaal van ondersteboven bent, is straks weer volkomen normaal.

* Een deel van het toernooi wordt in Oekraïne afgewerkt, maar dat hoorde vroeger bij Polen dus de Wet van de Omkering blijft gewoon van kracht.

DE ARK VAN NOACH

Volgens het bijbelverhaal in Genesis, liep de Ark van Noach vast op het Araratgebergte – aan de oostgrens van Turkije.

Marco Polo was in 1271 de eerste die in dat gebergte op zoek ging naar resten van de Ark. Sindsdien volgden velen die weg. In 2004 trok een heel team Chinezen het gebergte in. Zo zijn er door de eeuwen heen resten van de Ark gevonden. Sterker nog: als je alle gemelde vondsten bij elkaar optelt, kom je op een totaal van 31 complete Arken van Noach. Wij vinden dat opvallend.

In 1997 werd melding gedaan van een bijzondere vondst. Op de 'echte' Ark was een verzameling goudrollen gevonden waarop een nieuwe zondvloed werd voorspeld. Die zou plaatsvinden op 31 januari 2001.

Anno 2012 concluderen wij van De Ploeg dat die vondst dan waarschijnlijk niet op de 'echte' Ark is gedaan.

VERMIST

Buck van der Ploeg

Zijn familie doet er alles aan om zijn vermissing
een permanent karakter te geven.
Mocht u op de hoogte zijn van de woon-
of verblijfplaats van Buck
hou die informatie dan strikt voor uzelf.
Neem geen contact op met de
plaatselijke politie.
Brengt u hem toch terug dan moet u
de familie een vindersboete
betalen van

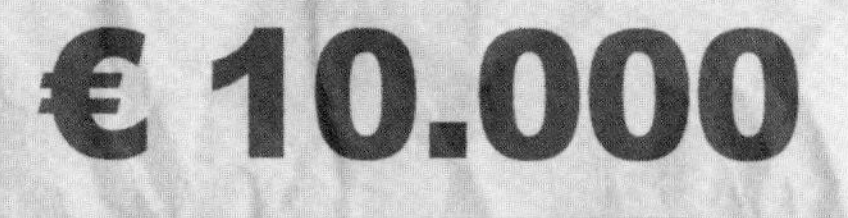

De mensen moeten niet zo zeiken

Door Henk – een hardwerkende Nederlander. Ook namens Ingrid.

Volgens mij valt het allemaal nogal mee met het Einde van de Wereld.
Typisch een manier van een bepaald soort zogenaamd slimme mensen, om aandacht te vragen. Of zoals wij dat ook wel noemen: "Gelul van een dronken aardbei."
De mensen moeten niet zoveel gaan zitten nadenken. Dat deden ze vroeger toch ook niet.
Als je vroeger op een veldje ging staan nadenken, zat je binnen een paar minuten al gespiest op de slagtand van een mammoet.
Tegenwoordig moet het allemaal maar worden bedacht. En besproken. En nog een keer besproken. Iedereen doet mee. Dacht je dat er vroeger allerlei commissies en commissarissen en denktanks en kantoorgebouwen vol wandelende mantelpakjes waren? Dacht het niet.
En hoezo nou moeilijke jeugd of minder kansen?
Had jij vroeger in de klas iemand met ADHD of met dyslexie of met PDD nos?
Wat nou kinderen met een rugzakje? Ik mocht van mijn moeder niet eens een pukkel. Gewoon een stevige leren tas met boeken waaruit je nog iets moest leren.
Wij hadden ook nog respect voor de leraar. Wij zeiden keurig u en meneer en mevrouw in plaats van dat gejijbak. En als je thuiskwam en je had straf gehad, dan was het niet van: "Ik ga wel eens met de school praten."
Nee, dan kon je van je vader een paar klappen krijgen. En 's avonds na middernacht waren er op de teevee geen hijgende vrouwen met tieten en geschoren poesjes die je vroegen te bellen want dan hadden ze iets bijzonders voor jou.
Welnee, je had twee televisienetten testbeeld met een harde piep en daar moest je dan zelf maar een verhaal bij bedenken.
En niks geen aanstellerige voetballers. Zogenaamde profs die voor drie miljoen met hun reet op de reservebank van een buitenlandse club zitten. Wat is er mis met voor een dikke twee ton heerlijk elke week in eigen land spelen met vrienden die ze nog kennen uit de jeugd?
Slappe lullen, zijn het.
En maar over de grond rollen.
En maar maten naaien.
Weten van huilenbalkerij niet meer welke kant ze op moeten vallen.

Worden ze van achteren aan hun shirt vastgehouden, vallen ze naar voren; krijgen ze een duw in de rug, vallen ze naar achter. En maar schreeuwen en roepen en minuten blijven liggen tot ze een stukje op de brancard mogen.
Ik heb heus ook wel eens een schop gekregen. Ik speelde bij Bal Op Het Dak. Kwam iemand vol op mijn scheenbeen glijen - je hoorde het knakken op de tweede ring. Nou, dan was het gewoon een natte spons hoor: gewoon vastzetten met twee punaises en hobbelen maar weer. Maakte ik nog de winnende goal ook. Want dat was een tijd van niet zeiken. Er waren nog normen en waarden. En weet je hoe dat kwam? Je ging naar de kerk. Je kunt veel van de kerk zeggen, maar je had wel ontzag voor iets dat hoger was. En ja, dan werd je als jongetje af en toe misbruikt door de priester van dienst, en dat was natuurlijk erg, maar je leerde tenminste wat respect was.

Het was vroeger nog echt gezellig op straat en thuis. Iedereen zingen, weet je wel.
Je kon nog wat hebben van elkaar. En dan mag je niet zeggen dat vroeger alles beter was. Haal je de koekkoek.
Dan zeggen ze wel eens: maar vroeger waren er in Europa alleen Europeanen, en je had de Tweede Wereldoorlog met meer dan 40 miljoen slachtoffers. Dat kan dan wel zo zijn, maar ik kan je zeggen: we hebben ook veel gelachen in de oorlog. En altijd handjes uit de mouwen.
En dat kwam ook omdat de mensen niets anders hadden. Je moest wel werken. Dacht je dat je gewoon je handje op kon houden en kon zeggen: "Ik kan niet werken want ik voel me niet zo lekker of ik krijg geen baan van de bezetters?" Hou toch op! Onze ouders hebben het land na de oorlog weer helemaal opgebouwd. Dus dan is het niet raar dat wij dat zelf weer keurig aan onze kinderen willen doorgeven.
En dan gaan we ons dus niet zomaar neerleggen bij het Einde van de Wereld. Zal effe lekker worden. Ik heb ook net een nieuwe auto en mijn vrouw een paar andere borsten.
We laten de wereld niet verkloten door een stelletje wetenschappers en politici die dingen roepen waar ze vreemd genoeg zelf altijd beter van worden. Laten ze nu maar eens luisteren naar ons. Laat het nu maar even over aan de hardwerkende gewone mensen. En ik loop zelf toevallig net in de bijstand, maar daar gaat het wel om.
Wat nou Einde van de Wereld.
Gewoon met zijn allen de schouders eronder. Of, zoals mijn vader altijd zei als er iemand een scheet liet: "Allemaal een snuif, dan is het zo over."

JEANNE D'ARC:
"Jezus, Jezus."

GRAHAM CHAPMAN:
"Hello."
Tegen zijn zoon die net kwam aanlopen in het ziekenhuis.

WINSTON CHURCHILL:
"I'm so bored with it all."
Vlak voor hij in coma raakte. Negen dagen later overleed hij.

Afscheid nemen bestaat wel

Een korte cursus

Nu het Einde van de Wereld nadert en niet-leden van De Ploeg zullen vergaan, wil De Ploeg propageren voor een propere manier van afscheid nemen. In tegenstelling tot wat Marco Borsato beweert, bestaat afscheid nemen namelijk wél.
Met het zicht op het definitieve Einde kan goed afscheid nemen een troost zijn. Het geeft ook helderheid. Pleegt men immers niet te zeggen: in het licht van het Einde wordt het voorafgaande zichtbaar?
Op de drempel wordt vaak nog het belangrijkste gezegd.
Dat is niet voor niets. Vlak voor de deur sluit, bij het nemen van de allerlaatste stap, weet je waar het echt om gaat.
Om niet-leden van De Ploeg aan te sporen afscheid te nemen, biedt De Ploeg graag een helpende hand in de vorm van deze korte cursus. Met als motto: afscheid nemen doe je alleen én met elkaar, en wel in die volgorde.

GOED EN KWAAD

Probeer eerst in het reine te komen met uzelf.
U moet vooral uzelf in de ogen kunnen kijken.
Pak een spiegel en kijk wat u ziet.
Kijk net zo lang tot u denkt: het is goed.
Als u uzelf kunt vergeven, kunnen anderen dat ook.
Het kan zijn dat bepaalde daden u blijven dwarszitten. Slecht gedrag blijft nu eenmaal langer hangen dan goed gedrag. Dat is iets van heel vroeger, toen mensen nog veel meer gespitst waren op het slechte. Gevaar werd maarliefst vijf keer sterker waargenomen dan vandaag de dag.
Om met uzelf in het reine te komen, kunt u elk van uw lastig weg te poetsen wandaden vereffenen met vijf weldaden.
Voor elke belediging maakt u nu vijf complimenten, iedere klap die u heeft uitgedeeld maakt u goed met vijf knuffels, enzovoort.
Zo lossen de zonden vanzelf op en kunt u uzelf tevreden in de ogen zien.

HET KLEINE EN HET GROTE

Hierna laat u uw gedachten gaan naar iedereen die in uw leven een rol van betekenis heeft gespeeld.
Denk aan de mensen aan wie u warme herinneringen hebt.
Maar denk ook aan de mensen die u hebben dwarsgezeten. Zowel in kleine zaken als in grote zaken. Bij kleine zaken gaat het om pesterijtjes, zoals duwen in de rij op school. Een

drol in een aangestoken krant.
Een steen in een kartonnen doos.
Een koeienbeen in een rubber laarsje.
Een gebit in een glas wijn.
Een vol gepiste theepot.
Sambal op een tandenborstel.
Sambal in massageolie.
Sambal in een tube Spertie (klassieker).
Barbequesaus in een shampoofles.
Lijm aan een pen.
Lijm in een schrift.
Lijm op een maandverbandje of lijm in een condoom (nog zo'n klassieker).

Grote zaken betreffen geld, vrouwen, mannen en macht.
Maar dat spreekt voor zich.
Laat zowel het grote als het kleine los.
Laat de haat achter in het vuur, in de golven, in de storm.
Vergeef en u zult vergeven worden.
Ga het Einde nooit zwaarmoedig tegemoet.
Nooit.

Haal vervolgens het mooiste uit uw geheugen naar boven.
De eerste ontmoeting, kus, knuffel, de eerste keer stevige seks (in willekeurige volgorde). De tijd dat Nederland het Eurovisiesongfestival won, het EK won, bijna de WK won. Uw eigen sportprestaties en die van uw naasten.
Een promotie op het werk.
Het mooiste compliment dat u ooit heeft gekregen. Alles, alles...

DE KRING

Wanneer u toe bent aan het gezamenlijke deel van het afscheid nemen, en u uw vrienden, familie en geliefden bijeen heeft geschaard, behoeft u natuurlijk niet al uw leugens, bedrog en wandaden op te biechten.
Het grote einde nadert nu toch.
Het maakt echt niet meer uit wat u heeft gedaan.
Waarom dan alles opbiechten?
Waarom oeverloze discussies aangaan?
Waarom anderen opzadelen met uw sores?
Daar heeft helemaal niemand wat aan. U al zeker niet. Eerlijk zijn levert een hoop ellende op. Dus: mondje dicht! (1e Wet van De Ploeg).
Bovendien zit niemand te wachten op 'het spijt me' wanneer er afscheid wordt genomen (2e Wet van De Ploeg).

Ga met uw dierbaren in een kring staan, vouw de handen ineen, kijk elkaar aan en zing een lied.
Hierna neemt u gepast afscheid van iedereen in de kring, gaat u zitten en wacht.
U kunt tijdens het wachten nog wat steentjes gooien, een beetje badmintonnen als het niet te hard waait of een vlieger oplaten als het juist wel lekker waait. Dat soort activiteiten vergt weinig kracht, maar leidt wel af. Geniet van het schouwspel als het zover is.

De Ploeg wenst u een zalig einde.

ALBERT EINSTEIN:
"Citater fra..."

JOAN CRAWFORD:
"Dammit... Don't you dare ask God to help me."
Tegen haar huishoudster die hardop begon te bidden.

JACK DANIEL:
"One last drink, please."

Pap over het Einde (2)

Ik keek laatst nog eens even om de deur van Berrie's slaapkamer om te kijken of ie sliep, lag hij daar hardop in zijn slaap te praten.
Maya, Maya, je broekie, je broekie!
Of zoiets.
Die dekselse knaap heeft een natte droom, dacht ik. En geef hem eens ongelijk. Beter dan die kurkdroge nachtmerries waar ik mij elke nacht doorheen moet slapen.
Maar een paar dagen later – het avondeten was snert, zoals eigenlijk elke avond, want Map en koken zijn geen grote vrienden – begint Berrie ineens met zijn ogen te rollen en te gillen, draait zijn hoofd achterstevoren op zijn nek en spuit er een grote groene straal snert uit zijn mond.
Ik vond die soep ook niks, maar dit was wel erg onaardig tegenover Map.
En maar schreeuwen, die jongen, apekolips, apekolips!
De metaforen komen, kometen, kometen! Eerst alles uitspugen en dan roepen: kom eten! Ik kon er geen touw aan vast knopen.
En toen zei Broer dat Berrie het zesde zintuig heeft. Een beetje raar.
Berrie een medium. Medium raar.
Maar afijn, Berrie doet nu voorspellingen op het schoolplein en Broer gaat langs met z'n pet en haalt zo wat extra zakgeld binnen.

Doen nu het nog kan!

Zorg ervoor dat je geen spijt hebt. Spijt heb je vaker van dingen die je niet hebt gedaan dan van dingen die je wel hebt gedaan.
Doe dus wat je vindt dat je ooit nog moet doen.
Sommige dingen zijn duur, sommige kosten niks.
Het resultaat is altijd een geweldig goed gevoel.
Dus, doe het.
Nu het nog kan.

12 DOEN-NU-HET-NOG-KAN DINGEN

1. Verklaar je grote liefde je grote liefde.
2. Beken je heimelijke liefde aan je heimelijke liefde.
3. Laat je masseren door je grote liefde, je heimelijke liefde of een professionele masseur.
4. Vraag aan iemand aan wie je al heel lang wil zitten of je er even aan mag zitten, kan eventueel ook in combinatie met punt 3.
5. Vertel je vrienden wat ze voor je betekenen. Neem er gerust de tijd voor. Wees niet bang voor herhalingen.
6. Zorg dat je met niemand meer ruzie hebt. Als dat niet lukt, geef de ruzie een plek en zorg dat je er geen last van hebt.
7. Doe iets voor een Goed Doel. Let hierbij wel op de uitvoeringstermijn.
8. Reis af naar het land waar je altijd van droomde (onder het mom: beter drie dagen de reis van je leven dan vier weken zomaar vakantie).
Dus: duik op de Malediven.
Zwem met zeeleeuwen op de Galapagos Eilanden.
Maak een trektocht in Nepal.
Daal af in de Ngorongoro krater.
Volg de trek van de gnoe's in de Serengeti.
Betreed de pyramides in Egypte.
Vaar langs de Lguazuwatervallen.
Shop in New York.
Breek ijs in Antarctica.
Spot beren op Alaska.
Pak een terrasje in Rome.
Slaap in de woestijn in Marokko.
Ontdek de Machu Picchu.
9. Doe dingen die eigenlijk te kinderachtig zijn. Vraag gewoon of je op een buurtveldje mag meedoen met voet- of basketbal. Ga lekker spelen met die racebaan die al twintig jaar onder je bed staat.
Dring voor bij de Efteling.
Ga in je korte broek op je skates door het Vondelpark en zing keihard mee met de muziek op je koptelefoon.
Zonder kinderen naar de dierentuin!
Alles mag, schaam je niet. Het is de laatste keer.
10. Voor vrouwen: koop alle kleren die je hebben wilt. Trek ze aan.

11. Voor mannen: moedig je vrouw aan alle kleren te kopen die ze hebben wil. Trek ze daarna uit.
12. Bekijk een raket van binnen.

Dit waren de suggesties onzer zijde, hieronder kunt u uw eigen wensen invullen.

MIJN PERSOONLIJKE DOEN-NU-HET-NOG-KAN-LIJST:

1. ______________________

2. ______________________

3. ______________________

4. ______________________

5. ______________________

6. ______________________

7. ______________________

8. ______________________

9. ______________________

10. ______________________

11. ______________________

12. ______________________

TWEEDE HUIS

Voor degenen die het dit jaar moeten missen: op 12 maart 2028 is er weer een Einde der Tijden. Dat is berekend door De Zonen van het Heilige Licht onder leiding van Jim Jackson.
Tot het zover is, zijn ze bezig met het bouwen van een gigantisch bunkercomplex in Nevada. Voor 1000 dollar kun je een bunker reserveren. Als je toch al dacht over een tweede huisje in het buitenland, is zo'n luxe bunker zo gek nog niet.

Metafoor

Een metafoor van twee kilometer doorsnee suist op de aarde af. Met een vaart van 800 biljoen kilometer per uur raast hij ons zonnestelsel binnen. Het lijkt eerst een heldere ster, maar dan wordt de metafoor elke dag groter. En heter.
Een wervelende zuil van puin en ijs in zijn rietkraag.
Het is net een vuurspuwende draak.
Iedereen raakt in paniek.
Luxe burgermeisjes en Litouwers uit allerlei landen rennen voor hun leven. Op 21 december 2012 treft hij de aarde. Boem!
De wereld schokt en beeft als een grote gelatinepudding.
Overal spugen vulkanen hun bak lava uit.
Bergen ontstaan in ketenen. Eilanden verdwijnen in de diepte.
Oceanen verdampen.
Gigantische wolken damp en poep en pus en gesmolten steen en oude auto's worden kilometers de lucht in geblazen. De schokgolf blaast een gloeiende wind de aarde rond met meer dan 100.000 kilometer per uur.
Alles wat brandbaar is, brandt.
Een week lang is de zon verduisterd door het omhoog geworpen stof.
In het pikkedonker rolt een huizenhoge vloedgolf de hittewind achterna. Alle continenten worden overspoeld. Het is een zondvloed.
Wat nog niet verbrand is, verdrinkt kopje onder. Dan wordt het 1000 jaar lang heel erg koud. Overal is ijs.
Kilometers dik ijs. En sneeuw.
De aarde kreunt en beeft en heeft het koud. Zijn gezicht is totaal veranderd. Vijfennegentig procent van al het leven, mensen, dieren, planten is kapot! Alleen wat zich heeft kunnen verstoppen, hoog in de bergen, onder de grond of diep in grotten heeft een kans van overleven.
Anabla... alfabna... afnabla... analfabete bergbewoners en een paar verdwaalde herders ontspringen de dans. De mens staat weer op nul.
Hij kan opnieuw beginnen.

Berrie van der Ploeg

Valse Data

Er is maar één echte datum voor het Einde van de Wereld en dat is 21-12-2012. Daarbij hebben we het niet over bijgeloof of astrologie op natte-vinger-niveau, maar over waarheid en wetenschap met een keurmerk. Maar pas op!
Er zijn diverse valse data in omloop, bijvoorbeeld: 4 februari, 19 april, 3 en 5 juni, 28 augustus en zelfs 31 november! Valse data worden vaak in het leven geroepen door groepjes mensen die eerst een raar gekleurd boekje in elkaar flansen en vervolgens zeggen dat je hen moet volgen. Trap daar niet in!
Want om hen te kunnen volgen, moet je vaak eerst een enorme som geld overmaken, afstand doen van alles wat je hebt of een lama offeren en bij elke eikenboom drie keer met een pollepel tegen je voorhoofd slaan. Die laatste twee voorbeelden helpen in sommige landen inderdaad tegen een koortslip of beginnende chlamydia, maar natuurlijk niet tegen het Einde van de Wereld.

Hoe herken je een valse datum?
Een valse datum kun je gemakkelijk herkennen aan het feit dat het leven na die datum gewoon doorgaat.

RAKELINGS

Wist u dat we de laatste jaren regelmatig zijn ontsnapt aan vernietiging van de aarde? Op 8 november 2010 nog. Om iets voor half één vloog een ruimtekei met een doorsnee van 400 meter rakelings langs de aarde. Het gebeurde op een afstand van 326.000 kilometer. Dat is, in heelalbegrippen, rakelings. Voor sommige voetballers ook. "Mooi schot Rachid, rakelings naast, scheelt net 326.000 kilometer. Ga wel zelf even de bal halen."

Pap over het Einde (3)

Berrie is abnormaal begaafd.
Hij spreekt wartaal.
En dat deed hij altijd al. Het is een fijne jongen, maar hersens: ho maar. Toch geloven de mensen wat hij zegt en willen ze zelfs betalen om het te horen.

Broer haalt het geld op en ik vertaal in gewone mensentaal wat Berrie bedoelt. Map gaat rond met snert en zopie. Het gaat allemaal over de Maya's en De Grote Afrekening op december 2012, dus we hebben nog even om het spaarvarken vet te mesten.
Ha, ha, ha.

SIGMUND FREUD:
"Dit is absurd! Dit is absurd!"

ADMIRAAL ARITOMO GOT:
"愛のバカやろう! "
Uitgesproken als: "Bakayaro! Bakayaro!" Vertaling: "Idioten! Idioten!" Tegen zijn bedienden, in de veronderstelling dat hij door onschuldig vuur werd getroffen.
(11 oktober 1942.)

ELVIS PRESLEY:
"I won't."

Financieel Nieuws

Pap (P) komt aan bij de baliemedewerker (B) van een bank.

P: "Goedemorgen."
B: "Goedemiddag."
P: "Eh... goedemiddag."
B: "Goedenavond."
P: "Goedenavond? Is het al zo laat?"
B: "Helaas. Tot morgen. Dag."
P: "Nee wacht. Ik ben aan de beurt."

B: "Ah, bent u daar weer?"
P: "Ik kom mijn geld opnemen."
B: "Heeft u een nummertje?"
P: "Nee, ik heb geen nummertje, ik heb een naam: Pap van der Ploeg."
B: "Pap van der Ploeg, u moet eerst een nummertje trekken."
P: "Wat nou nummertje trekken? Ik ben de enige klant!"
B: "Dat kan iedereen wel zeggen."
P: "Nee, dat kan iedereen helemaal niet zeggen, want iedereen is er niet. Ik ben de enige!"
B: "En ik dan?"
P: "Ja, u bent er ook, maar ik ben de enige klant."
B: "Ik ben ook klant van deze bank."
P: "Fijn, maar dit is dus een bank en u zit daar en ik sta hier. En ik wil geld opnemen."
B: "Toch moet u eerst een nummertje trekken, anders raakt het systeem in de war."
P: "Goed! Dan trek ik toch een nummertje?! Hier: 33."
B: "Twee..."
P: "Hè?! Er is hier niemand!"
B: "... En dertig..."
P: "Ah!"
B: "Drie..."
P: "En dertig! Ja! Dat ben ik!"
B: "Mag ik uw nummertje even zien?"
P: "Dat ligt in de prullenbak. Dat heb ik verscheurd."
B: "Ik moet het toch echt even zien."
P: "Godsamme!"

Pap diept twee stukjes papier uit een prullenbak op.

P: "Hier! 33!"
B: "Is dat niet een doormidden gescheurde 8?"
P: "Beste man, een doormidden gescheurde 8 zijn twee nullen en daar bent u er één van."
B: "Dat is 1-0 voor u."
P: " Dank u en dan wil ik nu mijn geld opnemen: 1298 euro. Van mijn rekening."
B: "1298 Euro."
P: "Ja. Van mijn rekening."
B: "Dat wilt u opnemen?"
P: "Ja! 1298 Euro."
B: "Nou, succes ermee."
P: "Pardon?"
B: "Succes ermee! Ik ben heel benieuwd hoe u dat gaat doen."
P: "Hoe ik dat ga doen? Gewoon! Ik pak mijn creditcard en haal hem door de gleuf en..."

B: "Uw creditcard?"
P: "Ja! Deze hier!"
B: "Laat eens zien... Goh, grappig ding. Plastic. Buigt een beetje. Zou je rijst mee kunnen eten. Of muziek mee kunnen maken misschien. Goed bewaren, zou ik zeggen."
P: "Wilt u dan nu alstublieft zo vriendelijk zijn 1298 euro in te typen op uw computer, dan kan ik mijn geld opnemen."
B: "We hebben geen geld."
P: "Wat?"
B: "Geld. Hebben we niet!"
P: "Wacht even, dit is toch een bank? Of word ik nou gek?!"
B: "Ja. Maar het geld is op."
P: "Op? Hoe bedoelt u: op?!"
B: "Weg! Verdwenen!"
P: "Gestolen?"
B: "Verdampt!"
P: "Sorry?"
B: "Verdammpt, nochmahls!"
P: "Luister, ik heb 1298 euro op mijn spaarrekening staan en dat wil ik nu opnemen."
B: "Rekeningnummer?"
P: "25.84.66.373."

De bankbediende typt het nummer en draait het computerscherm naar Pap.

B: "Hier: nul komma nul nul nul nul nul! Allemaal doormidden gescheurde achten lijkt het wel."
P: "Wat?! Dat kan niet..."
B: "Ja hoor, dat kan wel. Niks te zien. Alles is foetsie."
P: "Mijnheer, ik ga nu naar huis, en dan haal ik mijn papieren..."
B: "Naar huis?"
P: "Naar huis, ja!"
B: "U heeft helemaal geen huis!"
P: "Wat?!"
B: "U heeft helemaal geen huis!"
P: "Natuurlijk heb ik een huis. Daar woon ik namelijk."
B: "Maar dat is helemaal niet van u. Dat huis is van de bank. Andermans veren waarmee u liep te pronken. Gebakken lucht. Is allemaal verdwenen!"
P: "Wat?! Dat kan toch zomaar niet? Waar is mijn geld?!"
B: "Geld? Er bestaat helemaal geen geld! Niks meer dan wankele afspraken gebouwd op het drijfzand van goed vertrouwen. Virtuele cijfertjes in een vage *cloud*.
Maar plotseling zijn al die cijfertjes op nul gesprongen. En nu bent u blut. Berooid. Een kale kip. Schraalhans. Jan zonder pet. Een have-not."
P: "Luister, ik ga nu mijn vrouw bellen en die zal..."
B: "U hebt helemaal geen vrouw."
P: "Hè?! Natuurlijk wel. Ze heet Map en ze is de moeder van mijn kinderen."
B: "Kinderen? Laat me niet lachen. Ik denk niet dat er ergens op de wereld een kind te vinden is die u zijn vader zou durven noemen."

P: "Hou op man! Ik heb twee grote jongens, Broer en Berrie en misschien wel drie, maar hoe die derde heet dat weet ik even niet. Iets met Kluk of Pluk dacht ik."
B: "U bent vader, maar weet niet hoe uw kinderen heten?"
P: "Natuurlijk wel! Stuk en Vloer en Herrie. Godsamme. Hoer, Bak en Gerrie. Roerbak Die Derrie.
Hou op, kerel. Ik heb familie en vrienden. En van alles..."
B: "Het is voorbij, mijnheer Van der Ploeg. U hebt helemaal niks meer. Uw kinderen, vrienden, huisdieren; alles is u door de vingers geglipt. Uw machteloos graaiende armen vinden alleen maar een oneindig niets. Losgeslagen van uw moederschip drijft u in een eindeloze leegte. Uw voeten vinden geen vaste grond meer. En zijn dat trouwens wel uw voeten? Zijn dat wel uw schoenen? Die bril, die pijp, zijn die wel van u? U? Wie is u? Wie bent u? Bestaat u eigenlijk wel? Of bent u een verzinsel?"
P: "Ik ben nummer 33!"

STEVE JOBS:
"Oh wow. Oh wow. Oh wow."
Zijn laatste statement, opgenomen door zijn zus aan zijn sterfbed.

KARL MARX:
"Maak dat je wegkomt! Laatste woorden zijn voor idioten die nog niet genoeg gezegd hebben!"

MARCO POLO:
"I have not told half of what I saw."

Afscheid

Lieve Map, lieve jongens, beste Pap,

Het Einde is nabij.
Eindelijk.

Ik ben eigenlijk nooit bang geweest voor de dood. Als kind al niet. Toen ik van de ene kostschool na de andere werd gestuurd en van het ene pleeggezin naar het andere, leek doodgaan het beste wat me kon overkomen. De dood was voor mij geen vijand, maar een kameraad. Een vriend die me zou verlossen van alle pijn; want ik heb in mijn jeugd veel pijn geleden. Niet zozeer fysiek als wel geestelijk.

Ik sta er nog versteld van hoe ik als kind in staat was de sensatie van lichamelijke pijn te ontkennen. Dat was ook mijn enige verweer wanneer mijn vader me verrot sloeg.
Ik gaf geen krimp.
Ik huilde niet, kreunde niet, ik liep niet weg. Als ik viel stond ik op en wachtte lachend op de volgende vuist die me tegen de grond zou slaan. Mijn vermogen om me te laten mishandelen maakte mijn vader nog kwader dan hij al was. Zijn grootste nederlaag, en mijn enige triomf, was dat ik de pijn kon verdragen. Dat had ik als misdienaar bij de Paters van Het Bloedend Kruis wel geleerd. Dus de slaande deuren in huis, het misbruik, het eeuwige zwijgen van mijn moeder, zelfs mijn bijnaam op school: het-duizend-dingen-doekje van de paters, dat alles deed mij niets meer.
Ik was onkwetsbaar.
Maar de leegte in mijn hoofd, de leegte waarin mijn gedachten doelloos dansten als vliegen in een kamer, tot die gevoelloze leegte, was wel van één ding doordrongen: het besef dat uiteindelijk de dood me rust zou geven.

Nu het dan eindelijk zover is, lieve familie, wil ik jullie bedanken.
Dank dat jullie mij deel lieten uitmaken van een familie waar ik als kind zo naar verlangd heb. Pap, je hebt veel gemopperd maar je was ook vaak een vrolijke Pap, en je hebt Map ook nooit geslagen, met uitzondering van een corrigerende tik.
Ik vond ook dat je heel goed omging met je afkeer tegen je oudste zoon Buck.
Alle respect dat je – vooral om hem te beschermen – hebt kunnen regelen dat hij uit huis werd geplaatst. Dat geeft aan hoeveel je van de andere twee jongens houdt.
Map, dank dat je altijd zo vriendelijk was. Met me sprak. Dat je me liet strelen en fluisteren en dat je me in vertrouwen nam over het feit dat je

eigenlijk helemaal geen vrouw bent. Dat heb ik altijd heel fijn gevonden. Broer, Berrie, vaak heb ik mijn hart vastgehouden als jullie kwajongensstreken uithaalden. Berrie, ik herinner me hoe uitzinnig de oude hond van de buren de straat uitrende nadat jij hem met benzine had overgoten en in brand had gestoken.
Broer, ik zal ook nooit die keer vergeten dat jij uit de fles advocaat van Moep had gesnoept en dat ze je achterna kwam op de trap achterover viel en haar nek brak.
Enfin, jullie zijn toch maar flinke jongens geworden. En dat is toch heel mooi om te zien.

Lieve familie, bedankt voor alles.
Ik vond het erg fijn bij jullie.

Nonkel

LUDWIG VAN BEETHOVEN:
"Friends applaud, the comedy is over."
Oorspronkelijke slotzin van de Commedia dell'arte.

JAMES BROWN:
"I'm going away tonight."

SALVADOR DALÍ:
"Waar is mijn klok?"

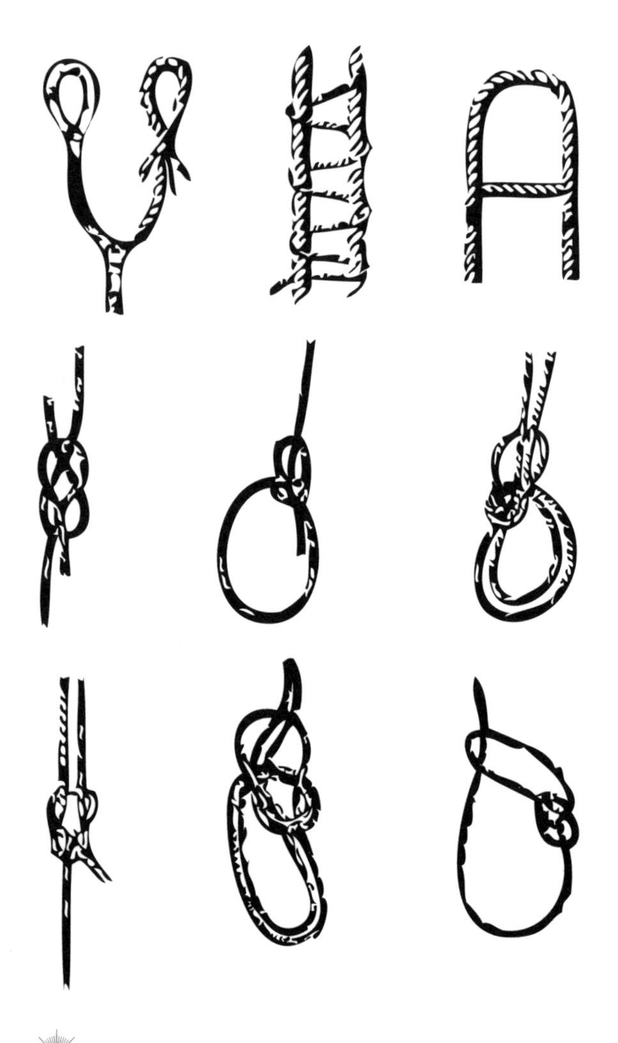

22 December 2012

Mocht u 22 december 2012, daags na de ondergang van de wereld, wakker worden zonder dat er iets is gebeurd, wat doet u dan? U leeft nog! Wat nu? U heeft afscheid genomen van familie en vrienden. U heeft al uw geld van de bank gehaald en de auto van uw dromen gekocht – om die een paar weken later voor de helft van de prijs te verkopen en van de opbrengst die unieke plezierreis naar Thailand te maken.

U heeft in de brievenbus van die zeikerd van een buurman gepist, u heeft de vrouw van de slager stevig bij haar heerlijke tieten gegrepen (ze vond het nog prettig ook en, Jezus, waarom heeft u dat niet eerder gedaan?); u heeft uw baas een schop onder zijn reet verkocht, die grapjas van een collega met zijn kop in de wc geduwd en die secretaresse op het bureau genomen (zij vond het niet prettig – ze schreeuwde en worstelde – en, Jezus, waarom heeft u dat niet eerder gedaan?).

U heeft gisteren de duurste malt whisky achterover geklokt en u bent vredig ingeslapen. En nu wordt u wakker en is er niets gebeurd.
Nou, niets...
U heeft een kater, u bent geruïneerd, op uw werk hoeft u niet meer te verschijnen. En voor uw deur staat de slager met zijn grootste mes.
Mocht u toevallig ergens nog een spaarpotje hebben, dan doet u er verstandig aan via de achterdeur het huis te verlaten en te emigreren. Ook kunt u plastische chirurgie overwegen en van naam en eventueel geslacht veranderen.

Indien u bankroet bent (aanmerkelijk grotere kans), dan bestaat er de mogelijkheid uw heil met een bedelnap op straat te zoeken.
Al na enkele weken zullen zowel uw gezicht als uw geslacht een metamorfose hebben ondergaan waar menig plastisch chirurg nog een puntje aan kan zuigen.
Wat u echter nooit zult kwijtraken, is de schaamte.
Noch emigratie, noch chirurgie, noch het zwerversbestaan zullen u daarvan bevrijden.

Er rest u nog één alternatief: met een stevig gevlochten touw het bos intrekken. Misschien niet de meest aantrekkelijke optie, maar wel die met de kortste lijdensweg.
Zie hiernaast voor handige knopen en galgensteken.

KRAAK DE CODE
HIER
DE ONDERSTREEPTE LETTERS VORMEN DE CODE

Namens de Nederlandse regering

De Nederlandse regering heeft kennis genomen van de berichtgeving van De Ploeg aangaande het Einde van de Wereld op 21 december 2012. De Nederlandse regering neemt met klem afstand, zij herhaalt: met klem afstand, van deze bewering. Ze herhaalt het nog een keer: met klem afstand van deze bewering.

Natuurlijk, het gaat anno 2012 niet goed met Nederland. De economie wankelt, de euro wankelt, de banken wankelen. De pensioenfondsen krijgen een steeds lagere dekkingsgraad, de werkloosheid stijgt, de kosten van de zorgverzekering gaan omhoog, zo ook die van de tandarts. De benzine wordt duurder. Er moet extra worden bezuinigd om het begrotingskort niet te ver te laten oplopen. Het vertrouwen van consumenten is nog nooit zo laag geweest. De Nederlandse regering is van mening dat dit alles niet wil zeggen dat de wereld zal vergaan. Zij herhaalt: niet wil zeggen dat de wereld zal vergaan.
Er zijn ook tal van positieve punten te noemen anno 2012. Men mag harder rijden op de snelwegen, de hypotheekrenteaftrek blijft gehandhaafd, criminelen worden zwaarder bestraft en jongens van achttien worden keurig naar hun eigen land teruggestuurd.
De Nederlandse regering stelt bovendien alles in het werk om de effecten van de economische crisis zo klein mogelijk te houden. Zij herhaalt: zo klein mogelijk te houden. Al zal iedereen in Nederland de gevolgen van deze internationale crisis voelen. Dat wordt niet herhaald.

Aldus het volgende:
De VVD en het CDA zijn overeengekomen dat de wereld in 2012 niet vergaat. Daarin worden zij fantastisch gedoogd door de PVV.
Het CDA neemt hierbij de stelling in dat alleen God kan en mag bepalen wanneer zijn wereld vergaat.
De VVD laat het Einde van de Wereld over aan de marktwerking.
De PVV vindt dat de paniek die De Ploeg veroorzaakt, reden is om de bezuinigingen op kunst en cultuur nog verder op te schroeven. Kunst en cultuur bestaan immers niet om mensen bang te maken, maar slechts ter amusement ofwel vermaak zonder lering.
Daarom pleit de PVV voor opheffing

van elke theater- of cabaretgroep die een doel dient anders dan amusement. De PVV stelt dan ook voor om zogenaamde 'cultuuragenten' aan te stellen, die controleren of een voorstelling puur en alleen om te lachen is. De partij herhaalt: puur en alleen om te lachen.

De Nederlandse regering heeft een speciale commissie ingesteld om de berichtgevingen van De Ploeg te laten onderzoeken: DE COMMISSIE 21 DECEMBER 2012. Deze commissie heeft een brede opdracht: *te onderzoeken of de wereld op 21 december 2012 zal vergaan, nagaan of er tekenen zijn die deze bewering ondersteunen, uitlatingen en geschriften van de Maya's onder de loep nemen en kijken of er in de huidige maatschappij signalen zijn die deze bewering onderbouwen.*

Vooruitlopend op de resultaten van het onderzoek van de COMMISSIE 21 DECEMBER 2012, is de regering ervan overtuigd dat de wereld op genoemde datum niet zal vergaan.

VUL DE CODE IN OP DE WEBSITE
WWW.DEPLOEG2012.NL

(ADVERTENTIE)
slagerij
J. van der Ven
voor je
reinste
varkensvlees!
Dorpsstraat 2
Ons Dorp
(ook slachten op verzoek)

Pap over het Einde (4)

Berrie, het medium, heeft gelijk! Kijk maar om je heen.
Alle mediums zeggen het: de kranten, televisie, de radio. Arme Gibbon, daar gaan we met z'n allen.

Maar de Maya's zeiden ook:
een kleine ploeg zal overleven.
En die ploeg ben ik, samen met de rest van De Ploeg. De hele familie.
Dus sluit je aan.
En dan zingen we nu ons volkslied: De Mayanaise.

ISLAM

Ook de Islam erkent kleine en grote voortekenen die het Einde der Tijden aangeven. De toenemende hebzucht van mensen, het gebruik van alcohol, de tanende kennis van religie en de groei van bijgeloof worden binnen de Islam als signalen gezien. Maar bijvoorbeeld ook luchtvervuiling en uitbraak van grote epidemieën. Om ons heen kijkend, kunnen we concluderen dat we er vanuit de visie van de Islam niet al te best voor staan.

BIJEENKOMSTEN

De genoemde data zijn onder voorbehoud. Houd onze website www.deploeg2012.nl in de gaten voor meer informatie. Bewaar uw entreebewijs van de bezochte bijeenkomst zorgvuldig, dit is tevens uw lidmaatschapsbewijs van De Ploeg.

MAART 2012

VR 16	20:15	HOOFDDORP	Schouwburg De Meerse 023 556 37 07
ZA 17	20.15	HOOFDDORP	Schouwburg De Meerse 023 556 37 07
WO 21	20:15	LEIDEN	Leidse Schouwburg 0900 900 17 05
DO 22	20:15	LEIDEN	Leidse Schouwburg 0900 900 17 05
VR 23	20:00	MIDDELBURG	Schouwburg Middelburg 0900 33 000 33
ZA 24	20:00	MIDDELBURG	Schouwburg Middelburg 0900 33 000 33
WO 28	20:15	ZOETERMEER	Stadstheater 079 342 75 65
DO 29	20:15	ZOETERMEER	Stadstheater 079 342 75 65
VR 30	20:15	LEEUWARDEN	Stadsschouwburg de Harmonie 058 233 02 33
ZA 31	20:15	LEEUWARDEN	Stadsschouwburg de Harmonie 058 233 02 33

APRIL 2012

DI 03	20:00	UTRECHT	Stadsschouwburg Utrecht 030 230 20 23
WO 04	20:00	UTRECHT	Stadsschouwburg Utrecht 030 230 20 23
DO 05	20:00	UTRECHT	Stadsschouwburg Utrecht 030 230 20 23
VR 06	20:00	UTRECHT	Stadsschouwburg Utrecht 030 230 20 23
DI 10	20:15	HAARLEM	Stadsschouwburg Haarlem 023 512 12 12
WO 11	20:15	HAARLEM	Stadsschouwburg Haarlem 023 512 12 12
VR 13	20:00	NIJMEGEN	Stadsschouwburg Nijmegen 024 322 11 00
ZA 14	20:15	BUSSUM	Spant! 035 691 39 49
MA 16	20:00	GOUDA	De Goudse Schouwburg 0182 51 37 50
DI 17	20:00	GOUDA	De Goudse Schouwburg 0182 51 37 50
DO 19	20:00	ZUTPHEN	Hanzehof 0575 51 20 13
VR 20	20:00	VEENENDAAL	Theater de Lampegiet 0318 54 01 41
ZA 21	20:15	LELYSTAD	Agora Theater 0320 23 92 39
DI 24	20:00	AMSTELVEEN	Schouwburg Amstelveen 020 547 51 75
WO 25	20:00	AMSTELVEEN	Schouwburg Amstelveen 020 547 51 75
DO 26	20:00	DRACHTEN	Schouwburg de Lawei 0512 33 50 50

MEI 2012

DI 08	20:15	RIJSWIJK	De Rijswijkse Schouwburg 070 336 03 36
DO 10	20:00	ROTTERDAM	Nieuwe Luxor Theater 010 484 33 33
VR 11	20:00	ROTTERDAM	Nieuwe Luxor Theater 010 484 33 33
ZA 12	20:00	ROTTERDAM	Nieuwe Luxor Theater 010 484 33 33
WO 16	20:15	ZAANDAM	Zaantheater 0900 334 45 53
DO 17	20:15	ZAANDAM	Zaantheater 0900 334 45 53
VR 18	20:15	DEN HAAG	Koninklijke Schouwburg 0900 345 6789
ZA 19	20:15	DEN HAAG	Koninklijke Schouwburg 0900 345 6789
DI 22	20:00	APELDOORN	Schouwburg Orpheus 0900 123 0 123
WO 23	20:00	APELDOORN	Schouwburg Orpheus 0900 123 0 123
VR 25	20:15	ALMERE-STAD	Schouwburg Almere 036 845 55 55
ZA 26	20:00	DEVENTER	Deventer Schouwburg 0570 68 35 00
WO 30	20:15	GRONINGEN	Stadsschouwburg Groningen 050 368 03 68
DO 31	20:15	GRONINGEN	Stadsschouwburg Groningen 050 368 03 68

JUNI 2012

VR 01	20:00	STADSKANAAL	Theater Geert Teis 0599 63 17 31
ZA 02	20:15	AMSTERDAM	De Meervaart 020 410 77 77
MA 04	20:15	IJMUIDEN	Stadsschouwburg Velsen 0255 51 57 89
DI 05	20:15	IJMUIDEN	Stadsschouwburg Velsen 0255 51 57 89
VR 08	20:00	EINDHOVEN	Parktheater Eindhoven 040 211 11 22
ZA 09	20:00	EINDHOVEN	Parktheater Eindhoven 040 211 11 22
ZO 10	20:00	AMSTERDAM	DeLaMar Theater 0900 335 26 27
MA 11	20:00	AMSTERDAM	DeLaMar Theater 0900 335 26 27
DI 12	20:00	AMSTERDAM	DeLaMar Theater 0900 335 26 27

SEPTEMBER 2012

MA 17	20:15	AMSTERDAM	De Kleine Komedie 020 624 05 34
DI 18	20:15	AMSTERDAM	De Kleine Komedie 020 624 05 34
WO 19	20:15	AMSTERDAM	De Kleine Komedie 020 624 05 34
VR 21	20:15	ARNHEM	Schouwburg Arnhem 026 443 73 43
WO 26	20:00	MAASTRICHT	Theater aan het Vrijthof 043 350 55 55
DO 27	20:15	AMERSFOORT	Theater De Flint 033 422 92 29
VR 28	20:15	AMERSFOORT	Theater De Flint 033 422 92 29
ZO 30	20:00	DEVENTER	Deventer Schouwburg 0570 68 35 00

OKTOBER 2012

DI 02	20:15	VENLO	Theater De Maaspoort 077 320 72 07
WO 03	20:00	ALPHEN A/D RIJN	Theater Castellum 0172 429 292
VR 05	20:15	ZWOLLE	Theater De Spiegel 038 428 82 88
ZA 06	20:15	WAGENINGEN	Theater Junushoff 0317 465 500
DI 09	20:15	DEN HELDER	Schouwburg De Kampanje 0223 67 46 64
WO 10	20:15	HOORN	Schouwburg Het Park 0229 29 10 10

VR 12	20:15	DELFT	Theater de Veste 015 212 13 12
ZA 13	20:15	ZAANDAM	Zaantheater 0900 334 45 53
DI 16	20:00	ALMELO	Theaterhotel Almelo 0546 80 30 10
WO 17	20:00	HENGELO	Rabotheater Hengelo 074 255 67 89
DO 18	20:15	SCHIEDAM	Theater aan de Schie 010 246 74 67
VR 19	20:00	TIEL	Schouwburg Agnietenhof 0344 67 35 00
WO 24	20:00	DEN BOSCH	Theater aan de Parade 0900 337 27 23
DO 25	20:15	TILBURG	Theaters Tilburg 013 543 22 20
VR 26	20:15	NIEUWEGEIN	Theater De Kom 030 604 55 54
ZA 27	20:00	DOETINCHEM	Schouwburg Amphion 0314 37 60 00
DI 30	20:00	BREDA	Chassé Theater 076 530 31 32
WO 31	20:15	ZOETERMEER	Stadstheater 079 342 75 65

DECEMBER 2012

DO 20	GROTE SLOTBIJEENKOMST Met wereldwijd Vuurwerk	Geheime locatie Volg ons op www.deploeg2012.nl

Met dank aan

Maya Andringa, Maya Baltus, Maya Bardot, Maya Bauer, Maya de Beij, Maya van den Broek, Maya Beemster, Maya van Bennekom, Maya Bruni, Maya van Bijsterveld, Maya Cohen, Maya Coornhert, Maya Darwin, Maya van Delft, Maya Deurloos, Maya con Dios, Maya de Dood, Maya Drees, Maya Edens, Maya Einstein, Maya Everhardt, Maya Fonteijn, Maya Gabeira, Maya Geldof, Maya Grunberg, Maya Halsema, Maya Hartmann, Maya Heyboer, Maya van der Hoeven, Maya van Houten, Maya Hulscher, Maya Jagger, Maya van der Jagt, Maya Johansson, Maya Kennedy, Maya Klap, Maya Kok, Maya Kroes, Maya Lennon, Maya van Lippe-Biesterfeld, Maya Lopez Ochoa, Maya Luca, Maya Lund, Maya Magritte, Maya Marx, Maya de Mol, Maya Monroe, Maya van Nieuwkerk, Maya den Ottolander, Maya Peggehat, Maya Plasterk, Maya Presley, Maya Post, Maya Posthuma de Boer, Maya Rabelink, Maya van Reij, Maya Roemer, Maya Rol, Maya Roothaan, Maya Rutte, Maya Schneider, Maya Schuurman, Maya Strauss-Kahn, Maya Suurbier, Maya Terpstra, Maya & Hermien Timmermans, Maya Verhaart, Maya Verhoeven, Maya Vøgeler, Maya van Vooren, Maya Vuijsje, Maya B. Wahr, Maya Wammes, Maya Wilders, Maya Zeep, Maya Zorreguieta, alle medewerkers van De Dikke Maya Kalender en Gerard

Tenslotte

☞ Dit boekje is geschikt voor iedereen die kan lezen.

☞ Heeft u na het lezen van dit boekje nog vragen, stelt u ze dan het liefst voor 21 december 2012.

☞ De Ploeg wenst geen uitnodiging te krijgen voor het boekenbal.

☞ Zij voelen zich meer boodschappers.

☞ De Ploeg hoopt wel dat schrijvers tijdens dit allerlaatste boekenbal fatsoenlijk afscheid van elkaar nemen.

☞ De Ploeg stelt voor om na het lezen van "Gids voor het Einde der Tijden" een glas rode Bardolino te drinken. La Corte del Pozzo 2008.

☞ Voor liefhebbers van witte wijn stelt De Ploeg een glas Meursault Clos des Ambres, Arnaud Ente uit het jaar 2007 voor.

☞ Wilt u een handtekening van een lid van De Ploeg, stel dan gerust de vraag: "Mag ik een handtekening?"

☞ Dit boekje wordt niet vertaald in alle talen van de wereld.

☞ Van dit boekje wordt geen film gemaakt.

☞ U kunt niet stemmen op De Ploeg.

☞ Die boekje is ook goed te gebruiken als vliegenmepper, waaier of onderzetter.

☞ Mocht u na dit boekje wat willen lezen over een ondeugend jongetje, dan moet u eens "De vlegeljaren van Pietje Bell" proberen.

☞ Mocht u na het lezen van dit boek een muziekje willen luisteren, kies dan iets vrolijks. Anders wordt het wel heel erg één op één.

(ADVERTENTIE)
laat de moed niet zakken
u kunt altijd nog uw biezen pakken
Schermer's Kofferhuis
specialist in overhaast vertrek

NAAM:

Ruimte voor uw eigen laatste woorden:

plak hier uw pasfoto

THE
END